Des cannibales

de Michel de Montaigne

suivi de

La peur de l'autre
(anthologie)

Modernisation du texte, anthologie,
dossier et notes réalisés par
Christine Bénévent

Lecture d'image par
Alain Jaubert

folio**plus**
classiques

Ancienne élève de l'École normale supérieure de Fontenay-Saint-Cloud, agrégée de lettres modernes, **Christine Bénévent** est docteur ès lettres et enseigne au Centre d'études supérieures de la Renaissance (université de Tours). Elle a déjà publié différents ouvrages parascolaires, notamment *L'humanisme* dans la collection « La bibliothèque Gallimard » et la lecture accompagnée d'*Un long dimanche de fiançailles* de Sébastien Japrisot en « Folioplus classiques ».

Alain Jaubert est écrivain et réalisateur. Après avoir été enseignant dans des écoles d'art et journaliste, il est devenu aussi documentariste. Il est l'auteur de nombreux portraits d'écrivains ou de peintres contemporains pour la télévision. Il est également l'auteur-réalisateur de *Palettes*, une série de films diffusée depuis 1990 sur la chaîne Arte et consacrée à la lecture de grands tableaux de l'histoire de la peinture. Il a publié deux romans aux éditions Gallimard, *Val Paradis* (2004) et *Une nuit à Pompéi* (2008).

Sommaire

Sommaire

Principes d'édition

Pour les textes de Montaigne, l'édition de référence est celle de 1595 telle qu'elle a été fournie par Jean Balsamo, Michel Magnien et Catherine Magnien-Simonin dans la « Bibliothèque de la Pléiade » (Paris, Gallimard, 2007). Les références des autres extraits sont indiquées à chaque entrée de l'anthologie.

Cette anthologie étant destinée à un public lycéen, il convenait de faciliter autant que possible la lecture de textes dont la forme est souvent déroutante. Ainsi, pour les écrits du XVIᵉ siècle, ai-je pris le parti de moderniser non seulement l'orthographe et les graphies (y compris pour les noms propres lorsque la forme actuelle y était perceptible : « Hespaigne » est devenu Espagne, tandis que la « mer Majour » est identifiée en note comme la « mer Noire »), mais également la ponctuation, adaptée autant que possible à l'usage actuel. Les modifications portent surtout sur la virgule et les deux-points, qui servaient généralement à marquer une ponctuation forte, et aussi sur les guillemets, que j'ai introduits dans les cas de discours direct : il se peut que certains de mes choix soient discutables, mais ce risque m'a paru préférable au maintien de la ponctuation originale, parfois susceptible de décourager la lecture. Sur le plan grammatical, on a tenté de rendre conformes à l'usage actuel les accords des verbes et des adjectifs et le genre des noms. Sur le plan syntaxique enfin, on a restitué entre crochets des constructions qui aident à la compréhension, sans aller toutefois jusqu'à modifier l'ordre des propositions : cela aurait peut-être amélioré encore la lisibilité du texte, sans respecter pour autant sa poétique, sa saveur, son allure particulière, « à sauts et à gambades » chez Montaigne. La lecture en demandera donc un petit effort de concentration, qui permettra par ailleurs de garder conscience de la distance — parfois salutaire — qui nous sépare de ces pages.

Quant aux explications données en notes, elles n'ont d'autre prétention, encore une fois, que de faciliter la compréhension du texte. Elles n'ont pas vocation à être savantes, et il ne s'agissait pas d'établir les variantes ni d'élucider toutes les allusions historiques et culturelles dont le texte fourmille, excepté dans les cas où une telle élucidation semblait indispensable à la compréhension. C'est pourquoi les éléments d'ordre culturel ont été réduits au minimum afin de ne pas alourdir excessivement l'apparat critique d'une édition qui se veut avant tout lisible : certains auteurs et personnages historiques n'ont pas été identifiés, soit parce que le texte lui-même s'en chargeait, soit parce que cette identification n'apportait pas une plus-value significative à la compréhension. L'essentiel des explications est d'ordre lexical, soit parce que le terme n'existe plus dans l'usage actuel, soit parce que son sens a beaucoup évolué depuis la Renaissance, au point de le rendre difficilement compréhensible. Quand un même terme est utilisé à plusieurs reprises (c'est le cas par exemple de « ains »), il n'est élucidé que lors de sa première occurrence dans un texte donné ; en revanche, il est à nouveau élucidé s'il réapparaît dans un autre texte, afin de permettre une lecture non cursive de l'anthologie. Parfois, des équivalences de construction sont proposées lorsque la syntaxe, restée proche de l'usage latin, risquait d'être trop obscure. Les citations latines sont évidemment traduites. Ces principes, propres à la partie « Anthologie », sont un peu différents dans la partie « Dossier », qui ne pouvait comporter de notes : les éventuelles élucidations, les plus discrètes possible, sont indiquées entre crochets.

Je tiens à remercier Michel Magnien, qui a eu la gentillesse de me donner conseils et avis sur la modernisation du texte de Montaigne, mais la version finale est de ma seule responsabilité.

L'anthologie s'est construite autour du chapitre 30/31 du livre premier des *Essais*, intitulé « Des cannibales ». Dans ce chapitre célèbre, et sans doute tardif (1579), Montaigne prend appui sur de nombreux témoignages concernant la conquête du Nouveau Monde pour réfléchir à la perception de l'autre et à la relativité des cultures.

C. B.

Des cannibales

Michel de Montaigne

Quand le Roi Pyrrhus passa en Italie, après qu'il eut reconnu l'ordonnance de l'armée que les Romains lui envoyaient au-devant : «Je ne sais, dit-il [1], quels barbares sont ceux-ci (car les Grecs appelaient ainsi toutes les nations étrangères) mais la disposition de cette armée que je vois n'est aucunement barbare.» Autant en dirent les Grecs de celle que Flaminius fit passer en leur pays ; et Philippe, voyant d'un tertre l'ordre et distribution du camp Romain, en son Royaume, sous Publius Sulpicius Galba. Voilà comment il se faut garder de s'attacher aux opinions vulgaires, et les faut juger par la voie de la raison, non par la voix commune. J'ai eu longtemps avec moi un homme qui avait demeuré dix ou douze ans en cet autre monde, qui a été découvert en notre siècle, en l'endroit où Ville-gagnon [2] prit terre, qu'il surnomma la France Antarctique [3]. Cette découverte d'un pays infini semble de grande

---

1. L'incise constitue la proposition principale de la phrase : «Quand le roi Pyrrhus passa [...] il dit...»

2. Le seigneur de Villegagnon, chevalier de Malte, obtint d'Henri II les crédits nécessaires pour fonder une place forte française au Brésil. Il atterrit en baie de Guanabara (aujourd'hui Rio de Janeiro) pour y fonder Fort-Coligny en 1555.

3. Nom donné par Villegagnon à l'actuel Brésil.

considération[1]. Je ne sais si je me puis répondre[2] qu'il ne s'en fasse à l'avenir quelque autre, tant de personnages plus grands que nous ayant été trompés en celle-ci. J'ai peur que nous ayons les yeux plus grands que le ventre, et plus de curiosité que nous n'avons de capacité : nous embrassons tout, mais nous n'étreignons que du vent. Platon introduit Solon[3] racontant avoir appris des Prêtres de la ville de Saïs en Égypte, que jadis et avant le déluge, il y avait une grande île nommée Atlantide, droit à la bouche du détroit de Gibraltar, qui tenait[4] plus de pays que l'Afrique et l'Asie toutes deux ensemble ; et que les rois de cette contrée-là, qui ne possédaient pas seulement cette île, mais s'étaient étendus dans la terre ferme, si avant qu'ils tenaient de la largeur d'Afrique, jusqu'en Égypte, et de la longueur de l'Europe, jusqu'en la Toscane, entreprirent d'enjamber jusque sur l'Asie, et subjuguer toutes les nations qui bordent la mer Méditerranée, jusqu'au golfe de la mer Majour[5] : et pour cet effet, traversèrent les Espagnes[6], la Gaule, l'Italie jusqu'en la Grèce, où les Athéniens les soutinrent[7] ; mais que quelque temps après, et les Athéniens et eux et leur île furent engloutis par le déluge[8]. Il est bien vraisemblable, que cet extrême ravage d'eau ait fait des changements étranges aux habitations de la terre, comme on tient que la mer a retranché la Sicile d'avec l'Italie :

1. Importance.
2. Si je puis garantir.
3. Homme d'État, législateur et poète athénien (v. 640-v. 558 av. J.-C.). Il était au départ commerçant, ce qui le conduisit à beaucoup voyager.
4. Contenait.
5. La mer Noire.
6. Dans l'Antiquité, l'Espagne était divisée en provinces.
7. Arrêtèrent.
8. À l'époque de Montaigne, on rapprochait souvent cette Atlantide mythique et l'Amérique nouvellement découverte. Ici, Montaigne recopie en fait tout un chapitre de l'*Histoire nouvelle du Nouveau Monde*, de G. Benzoni.

> *Haec loca ui quondam, et uasta conuulsa ruina*
> *Dissiluisse ferunt, cum protinus utraque tellus*
> *Vna foret* [1].

Chypre d'avec la Syrie, l'île de Nègrepont [2], de la terre ferme de la Béotie ; et joint ailleurs les terres qui étaient divisées, comblant de limon et de sable les fosses d'entre-deux :

> *sterilisque diu palus aptáque remis*
> *Vicinas urbes alit, et graue sentit aratrum* [3].

Mais il n'y a pas grande apparence que cette île soit ce monde nouveau, que nous venons de découvrir : car elle touchait quasi l'Espagne, et ce serait un effet incroyable d'inondation de l'en avoir reculée comme elle est, de plus de douze cents lieues ; outre ce que les navigations des modernes ont déjà presque découvert, que ce n'est point une île, ains [4] terre ferme, et continente avec [5] l'Inde Orientale d'un côté, et avec les terres qui sont sous les deux pôles d'autre part ; ou si elle en est séparée, que c'est d'un si petit détroit et intervalle qu'elle ne mérite pas d'être nommée île pour cela. Il semble qu'il y ait des mouvements, naturels les uns, les autres fiévreux, en ces grands corps [6], comme

---

1. « Ces deux régions, autrefois une seule et même terre, se sont un jour, dit-on, violemment séparées dans les convulsions d'un vaste effondrement » (Virgile, *Énéide*, III, 414 et 416-417).

2. L'île d'Eubée.

3. « Une lagune, longtemps stérile et parcourue à la rame, nourrit les villes alentour et ressent le poids de la charrue » (Horace, *Art poétique*, 65-66).

4. Mais.

5. Contiguë à.

6. Il s'agit là des terres. Comme beaucoup de ses contemporains, Montaigne établit ici une correspondance entre macrocosme et microcosme.

aux nôtres. Quand je considère l'impression[1] que ma rivière de Dordogne fait de mon temps, vers la rive droite de sa descente ; et qu'en vingt ans elle a tant gagné, et dérobé le fondement[2] à plusieurs bâtiments, je vois bien que c'est une agitation extraordinaire : car si elle fût toujours allée [à] ce train, ou dût aller à l'avenir, la figure du monde serait renversée. Mais il leur[3] prend des changements : tantôt elles s'épandent d'un côté, tantôt d'un autre, tantôt elles se contiennent. Je ne parle pas des soudaines inondations de quoi nous manions[4] les causes. En Médoc, le long de la mer, mon frère, Sieur d'Arsac, voit une sienne terre ensevelie sous les sables que la mer vomit devant elle ; le faîte d'aucuns[5] bâtiments paraît encore ; ses rentes et domaines se sont échangés[6] en pacages bien maigres. Les habitants disent que depuis quelque temps, la mer se pousse si fort vers eux qu'ils ont perdu quatre lieues de terre ; ces sables sont ses fourriers[7]. Et voyons de grandes montjoies d'arènes[8] mouvantes, qui marchent une demie lieue devant elle, et gagnent pays. L'autre témoignage de l'Antiquité, auquel on veut rapporter cette découverte, est dans Aristote, au moins si ce petit livret des merveilles inouïes est à lui[9]. Il raconte là que certains Carthaginois s'étant jetés au travers de la mer Atlantique, hors le détroit de Gibraltar, et [ayant] navigué longtemps, avaient découvert enfin une grande île fertile,

---

1. Le travail d'érosion.
2. Arraché les fondations.
3. Aux rivières.
4. Comprenons.
5. De certains.
6. Changés.
7. Chose ou personne qui annonce l'arrivée de quelque chose ou de quelqu'un.
8. Grandes dunes de sable.
9. Le livre *Des merveilles* est attribué à « Aristote ou Théophraste » par Lopez de Gomara dans l'*Histoire générale des Indes*.

toute revêtue de bois, et arrosée de grandes et profondes rivières, fort éloignée de toutes terres fermes ; et qu'eux, et autres depuis, attirés par la bonté et fertilité du terroir, s'y en allèrent avec leurs femmes et enfants, et commencèrent à s'y habituer. Les Seigneurs de Carthage, voyant que leur pays se dépeuplait peu à peu, firent défense expresse sur peine de mort, que nul n'eût plus à aller là, et en chassèrent ces nouveaux habitants, craignant, à ce qu'on dit, que par succession de temps ils ne vinssent à multiplier tellement qu'ils les supplantassent eux-mêmes, et ruinassent leur état. Cette narration d'Aristote n'a non plus d'accord [1] avec nos terres neuves. Cet homme que j'avais était homme simple et grossier, [ce] qui est une condition propre à rendre véritable témoignage : car les fines gens remarquent bien plus curieusement [2], et plus de choses, mais ils les glosent [3] ; et pour faire valoir leur interprétation, et la persuader, ils ne se peuvent garder d'altérer un peu l'Histoire : ils ne vous représentent jamais les choses pures ; ils les inclinent et masquent selon le visage qu'ils leur ont vu ; et pour donner crédit à leur jugement, et vous y attirer, [ils] prêtent volontiers de ce côté-là à la matière, l'allongent et l'amplifient. Ou il faut un homme très fidèle, ou si simple qu'il n'ait pas de quoi bâtir et donner de la vraisemblance à des inventions fausses ; et qui n'ait rien épousé [4]. Le mien était tel ; et outre cela il m'a fait voir à diverses fois plusieurs matelots et marchands, qu'il avait connus en ce voyage. Ainsi je me contente de cette information, sans m'enquérir de ce que les cosmographes [5] en disent. Il nous faudrait des

---

1. Ne concorde pas non plus.
2. Avec bien plus d'attention.
3. Les interprètent, les commentent.
4. Qui n'ait pris aucun parti.
5. Géographes qui décrivent la terre.

topographes[1], qui nous fissent narration particulière des endroits où ils ont été. Mais, pour avoir cet avantage sur nous d'avoir vu la Palestine, ils[2] veulent jouir du privilège de nous conter nouvelles de tout le demeurant[3] du monde. Je voudrais que chacun écrivît ce qu'il sait, et autant qu'il en sait : non en cela seulement, mais en tous autres sujets, car tel peut avoir quelque particulière science ou expérience de la nature d'une rivière, ou d'une fontaine, qui ne sait au reste que ce que chacun sait. Il entreprendra toutefois, pour faire courir ce petit lopin[4], d'écrire toute la physique[5]. De ce vice sourdent plusieurs grandes incommodités. Or je trouve, pour revenir à mon propos, qu'il n'y a rien de barbare et de sauvage en cette nation[6], à ce qu'on m'en a rapporté ; sinon que chacun appelle barbarie ce qui n'est pas de son usage. Comme de vrai nous n'avons autre mire[7] de la vérité, et de la raison, que l'exemple et idée des opinions et usances[8] du pays où nous sommes. Là est toujours la parfaite religion, la parfaite police[9], parfait et accompli usage de toutes choses. Ils sont sauvages[10] de même que nous appelons sauvages les fruits que nature de soi et de son progrès[11] ordinaire a produits : là où à la vérité ce sont ceux que nous avons altérés par notre artifice, et détournés de l'ordre commun, que nous devrions appeler plutôt sauvages.

---

1. Par opposition aux « cosmographes », les topographes sont des voyageurs qui pratiquent l'observation directe des pays qu'ils visitent.
2. Le pronom désigne les cosmographes.
3. Tout le reste.
4. Pour tirer parti de ce fragment.
5. À comprendre ici comme science des choses naturelles (*phusis* en grec = nature).
6. La « France Antarctique », c'est-à-dire le Brésil.
7. Critère.
8. Usages.
9. Le parfait gouvernement.
10. Le mot « sauvage » vient du latin *silva* qui signifie forêt.
11. Processus.

En ceux-là sont vives et vigoureuses, les vraies, et plus utiles et naturelles, vertus et propriétés; lesquelles nous avons abâtardies en ceux-ci, les accommodant au plaisir de notre goût corrompu. Et si pourtant[1] la saveur même et délicatesse se trouvent, à notre goût même, excellentes à l'envi des nôtres[2] en divers fruits de ces contrées-là, sans culture, ce n'est pas raison que l'art gagne le point d'honneur sur notre grande et puissante mère nature. Nous avons tant rechargé[3] la beauté et richesse de ses ouvrages par nos inventions, que nous l'avons du tout[4] étouffée. Si est-ce que[5] partout où sa pureté reluit, elle fait une merveilleuse honte à nos vaines et frivoles entreprises.

> *Et ueniunt hederae sponte sua melius,*
> *Surgit et in solis formosior arbutus antris,*
> *Et uolucres nulla dulcius arte canunt*[6].

Tous nos efforts ne peuvent seulement arriver à représenter[7] le nid du moindre oiselet, sa contexture, sa beauté, et l'utilité de son usage : non pas[8] la tissure de la chétive araignée. Toutes choses, dit Platon, sont produites ou par la nature, ou par la fortune, ou par l'art[9]. Les plus grandes et plus belles par l'une ou l'autre des deux premières; les moindres et imparfaites par la dernière. Ces nations me

---

1. Et par conséquent si.
2. Rivalisant avec les nôtres.
3. Surchargé.
4. Complètement.
5. Toujours est-il que.
6. « Le lierre vient mieux de lui-même que les grottes solitaires; l'arbousier croît plus beau et les oiseaux ont un chant plus mélodieux sans travail » (Properce, I, II, 10-11 et 14).
7. Reproduire.
8. Pas plus que.
9. Idée développée par le philosophe athénien dans les *Lois*, X, 888e.

semblent donc ainsi barbares, pour avoir reçu fort peu de
façon de l'esprit humain, et être encore fort voisines de leur
naïveté originelle. Les lois naturelles leur commandent
encore, fort peu abâtardies par les nôtres ; mais c'est en
telle pureté, qu'il me prend quelque fois déplaisir, de quoi [1]
la connaissance n'en soit venue plus tôt, du temps qu'il y
avait des hommes qui en eussent su mieux juger que nous.
Il me déplaît que Lycurgue et Platon [2] ne l'aient eue : car il
me semble que ce que nous voyons par expérience en ces
nations-là, surpasse non seulement toutes les peintures de
quoi [3] la poésie a embelli l'âge doré [4], et toutes ses inventions à feindre [5] une heureuse condition d'hommes, mais
encore la conception et le désir même de la philosophie. Ils
n'ont pu imaginer une naïveté si pure et simple, comme
nous la voyons par expérience, ni n'ont pu croire que notre
société se pût maintenir avec si peu d'artifice, et de sou-
dure [6] humaine. C'est une nation, dirais-je à Platon, en
laquelle il n'y a aucune espèce de trafic ; nulle connaissance
de lettres ; nulle science de nombres ; nul nom de magistrat,
ni de supériorité politique ; nul usage de service [7], de
richesse, ou de pauvreté ; nuls contrats ; nulles successions ;
nuls partages ; nulles occupations, qu'oisives ; nul respect de
parenté, que commun [8] ; nuls vêtements ; nulle agriculture ;
nul métal ; nul usage de vin ou de blé. Les paroles [9] mêmes

---

1. De ce que.
2. Lycurgue, législateur mythique de Sparte, et Platon, philosophe
athénien, auteur de *La République* et des *Lois,* ont tous deux élaboré
des constitutions idéales.
3. Dont.
4. L'Âge d'or.
5. Imaginer.
6. D'art et de solidarité.
7. De serfs (esclaves ou domestiques).
8. Sinon le respect mutuel.
9. Termes.

qui signifient le mensonge, la trahison, la dissimulation, l'avarice, l'envie, la détraction [1], le pardon, [sont] inouïes. Combien trouverait-il [2] la république qu'il a imaginée, éloignée de cette perfection ?

Hos natura modos primum dedit [3].

Au demeurant, ils vivent en une contrée de pays très plaisante, et bien tempérée, de façon qu'à ce que m'ont dit mes témoins, il est rare d'y voir un homme malade, et m'ont assuré n'en y avoir vu aucun tremblant, chassieux [4], édenté, ou courbé de vieillesse. Ils sont assis [5] le long de la mer et fermés, du côté de la terre, de grandes et hautes montagnes, ayant entre-deux [6], cent lieues ou environ d'étendue en large. Ils ont grande abondance de poissons et de chairs [7], qui n'ont aucune ressemblance aux nôtres ; et les mangent sans autre artifice que de les cuire. Le premier qui y mena un cheval, quoiqu'il les eût pratiqués [8] à plusieurs autres voyages, leur fit tant d'horreur en cette assiette [9], qu'ils le tuèrent à coups de trait, avant que le pouvoir reconnaître. Leurs bâtiments sont fort longs, et capables [10] de deux ou trois cents âmes, étoffés d'écorce de grands arbres, tenant à terre par un bout, et se soutenant et appuyant l'un contre l'autre par le faîte, à la mode d'aucunes de nos granges, des-

---

1. Médisance.
2. Le pronom renvoie ici à Platon.
3. « Voilà les premières lois qu'offrit la nature » (Virgile, *Géorgiques*, II, 20).
4. Atteint de chassie, sécrétion jaunâtre sur le bord des paupières.
5. Installés.
6. Entre mer et montagne.
7. Viandes.
8. Fréquentés.
9. Position, c'est-à-dire à cheval.
10. D'une capacité.

quelles la couverture pend jusqu'à terre, et sert de flanc. Ils ont du bois si dur qu'ils en coupent et en font leurs épées, et des grils à cuire leur viande[1]. Leurs lits sont d'un tissu de coton, suspendus contre le toit, comme ceux de nos navires, à chacun le sien : car les femmes couchent à part des maris. Ils se lèvent avec le Soleil, et mangent soudain après s'être levés, pour toute la journée : car ils ne font autre repas que celui-là. Ils ne boivent pas lors[2], comme Suidas dit de quelques autres peuples d'Orient, qui buvaient hors du manger[3] : ils boivent à plusieurs fois sur jour, et d'autant[4]. Leur breuvage est fait de quelque racine, et est de la couleur de nos vins clairets[5]. Ils ne le boivent que tiède. Ce breuvage ne se conserve que deux ou trois jours ; il a le goût un peu piquant, nullement fumeux[6], salutaire à l'estomac, et laxatif à ceux qui ne l'ont accoutumé ; c'est une boisson très agréable à qui y est duit[7]. Au lieu du pain, ils usent d'une certaine matière blanche[8], comme du coriandre confit. J'en ai tâté, le goût en est doux et un peu fade. Toute la journée se passe à danser. Les plus jeunes vont à la chasse des bêtes, à tout[9] des arcs. Une partie des femmes s'amuse cependant[10] à chauffer leur breuvage, [ce] qui est leur principal office[11]. Il y a quelqu'un des vieillards, qui le matin avant qu'ils se mettent à manger, prêche en

---

1. Leurs aliments.
2. Alors.
3. Montaigne fait ici référence au *Lexicon* (IXᵉ-Xᵉ s.), ouvrage attribué à Suidas qui a en fait été écrit par plusieurs auteurs de l'époque byzantine. On n'y trouve pas la mention signalée par Montaigne.
4. Plusieurs fois par jour, et à qui mieux mieux.
5. Rouge clair.
6. Est fumeux ce qui monte à la tête.
7. Habitué.
8. La farine de manioc.
9. Avec.
10. S'occupe pendant ce temps.
11. Fonction.

commun toute la grangée, en se promenant d'un bout à autre, et redisant une même clause[1] à plusieurs fois, jusqu'à ce qu'il ait achevé le tour (car ce sont bâtiments qui ont bien cent pas de longueur) ; il ne leur recommande que deux choses, la vaillance contre les ennemis, et l'amitié à leurs femmes. Et [ils] ne faillent jamais de remarquer[2] cette obligation, pour leur refrain, que ce sont elles qui leur maintiennent leur boisson tiède et assaisonnée. Il se voit en plusieurs lieux, et entre autres chez moi[3], la forme de leurs lits, de leurs cordons, de leurs épées, et bracelets de bois, de quoi ils couvrent leurs poignets aux combats, et des grandes cannes ouvertes par un bout, par le son desquelles ils soutiennent la cadence en leur danse. Ils sont ras[4] partout, et se font le poil beaucoup plus nettement que nous, sans autre rasoir que de bois, ou de pierre. Ils croient les âmes éternelles ; et celles qui ont bien mérité des dieux, être logées à l'endroit du ciel où le Soleil se lève[5] ; les maudites, du côté de l'Occident. Ils ont je ne sais quels Prêtres et Prophètes, qui se présentent bien rarement au peuple, ayant leur demeure aux montagnes. À leur arrivée, il se fait une grande fête et assemblée solennelle de plusieurs villages (chaque grange, comme je l'ai décrite, fait un village, et [elles] sont environ à une lieue Française l'une de l'autre). Ce Prophète parle à eux en public, les exhortant à la vertu et à leur devoir : mais toute leur science éthique ne contient

---

1. Phrase.
2. Ne manquent jamais de souligner.
3. Comme beaucoup d'humanistes, Montaigne s'était constitué un cabinet de curiosités. Mais il fait peut-être aussi référence aux gravures de ces objets qui figurent dans les nombreux livres sur les Indes qu'il possède.
4. Rasés.
5. Proposition infinitive imitée du latin : « Ils croient que celles qui ont bien mérité des dieux sont logées à l'endroit du ciel où le Soleil se lève. »

que ces deux articles de la résolution à la guerre, et affection à leurs femmes. Celui-ci leur pronostique les choses à venir, et les événements[1] qu'ils doivent espérer de leurs entreprises ; [il] les achemine ou détourne de la guerre. Mais c'est par tel si que où il faut à bien deviner[2], et s'il leur advient autrement qu'il ne leur a prédit, il est haché en mille pièces, s'ils l'attrapent, et condamné pour faux prophète. À cette cause celui qui s'est une fois mécompté[3], on ne le voit plus. C'est don de Dieu, que la divination : voilà pourquoi ce devrait être une imposture punissable d'en abuser. Entre les Scythes, quand les devins avaient failli de rencontre[4], on les couchait enforgés de pieds et de mains[5], sur des chariots pleins de bruyère, tirés par des bœufs, en quoi on les faisait brûler. Ceux qui manient les choses sujettes à la conduite de l'humaine suffisance[6] sont excusables d'y faire ce qu'ils peuvent. Mais ces autres, qui nous viennent pipant des assurances d'une faculté extraordinaire[7], qui est hors de notre connaissance : [ne] faut-il pas les punir, de ce qu'ils ne maintiennent l'effet de leur promesse[8], et de la témérité de leur imposture ? Ils[9] ont leurs guerres contre les nations qui sont au-delà de leurs montagnes, plus avant en la terre ferme, auxquelles[10] ils vont tous nus, n'ayant autres armes que des arcs ou des épées de bois, appointées par un bout, à la mode des

---

1. L'issue.
2. Mais c'est à telle condition que s'il ne devine pas bien.
3. Trompé.
4. Quand les devins s'étaient par hasard trompés.
5. Les pieds et les mains entravés par des fers.
6. Soumises à l'humaine capacité.
7. Qui nous trompent en assurant qu'ils disposent d'une capacité extraordinaire.
8. Qu'ils ne tiennent pas leur promesse.
9. Le pronom renvoie ici au peuple brésilien.
10. L'antécédent du pronom relatif est le mot « guerres ».

langues [1] de nos épieux. C'est chose émerveillable [2] que de la fermeté de leurs combats, qui ne finissent jamais que par meurtre et effusion de sang : car de routes [3] et d'effroi, ils ne savent [ce] que c'est. Chacun rapporte pour son trophée la tête de l'ennemi qu'il a tué, et l'attache à l'entrée de son logis. Après avoir longtemps bien traité leurs prisonniers, et de toutes les commodités dont ils se peuvent aviser, celui qui en est le maître fait une grande assemblée de ses connaissants. Il attache une corde à l'un des bras du prisonnier, par le bout de laquelle il le tient, éloigné de quelques pas, de peur d'en être offensé [4], et donne au plus cher de ses amis, l'autre bras à tenir de même ; et eux deux en présence de toute l'assemblée l'assomment à coups d'épée. Cela fait, ils le rôtissent, et en mangent en commun, et en envoient des lopins à ceux de leurs amis qui sont absents. Ce n'est pas, comme on pense, pour s'en nourrir, ainsi que faisaient anciennement les Scythes, c'est pour représenter une extrême vengeance. Et qu'il soit ainsi [5], ayant aperçu que les Portugais, qui s'étaient ralliés à leurs adversaires, usaient d'une autre sorte de mort contre eux, quand ils les prenaient — qui était de les enterrer jusqu'à la ceinture, et tirer au demeurant du corps force coups de trait [6], et les pendre après — ils pensèrent que ces gens ici de l'autre monde [7] (comme ceux qui avaient semé la connaissance de beaucoup de vices parmi leur voisinage, et qui étaient beaucoup plus grands maîtres qu'eux en toute

---

1. Des embouts ferrés.
2. Capable d'émerveiller, c'est-à-dire d'étonner au sens fort.
3. Déroutes.
4. D'être blessé par lui.
5. Et pour preuve qu'il en est ainsi.
6. Et de tirer, dans la partie du corps restée apparente, des coups de flèches.
7. L'autre monde, vu du Brésil, c'est l'Europe.

sorte de malice) ne prenaient pas sans occasion[1] cette sorte
de vengeance, et qu'elle devait être plus aigre que la leur,
dont ils[2] commencèrent de quitter leur façon ancienne,
pour suivre celle-ci. Je ne suis pas marri[3] que nous remar-
quions l'horreur barbaresque qu'il y a en une telle action,
mais oui bien de quoi jugeant à point[4] de leurs fautes, nous
soyons si aveuglés aux nôtres. Je pense qu'il y a plus de barbarie à manger un homme vivant, qu'à le manger mort, à
déchirer par tourments et par géhennes[5] un corps encore
plein de sentiment, le faire rôtir par le menu, le faire mordre
et meurtrir aux[6] chiens, et aux pourceaux (comme nous
l'avons non seulement lu, mais vu de fraîche mémoire, non
entre des ennemis anciens, mais entre des voisins et concitoyens et, qui pis est, sous prétexte de piété et de religion)
que de le rôtir et manger après qu'il est trépassé. Chrysippe
et Zénon, chefs de la secte stoïque, ont bien pensé qu'il n'y
avait aucun mal de se servir de notre charogne, à quoi que
ce fût, pour notre besoin, et d'en tirer de la nourriture :
comme nos ancêtres, étant assiégés par César en la ville
d'Alésia, se résolurent de soutenir la faim de ce siège par
les corps des vieillards, des femmes, et autres personnes
inutiles au combat.

> *Vascones (fama est) alimentis talibus usi*
> *Produxere animas*[7].

---

1. Sans raison.
2. Si bien qu'ils.
3. Affligé ou contrarié.
4. Avec justesse.
5. Tortures.
6. Tuer par les.
7. « Les Gascons, dit-on, prolongèrent leur vie avec pareils aliments » (Juvénal, xv, 93-94).

Et les médecins ne craignent pas de s'en servir à toute sorte d'usage, pour notre santé ; soit pour l'appliquer au-dedans, ou au-dehors. Mais il ne se trouva jamais aucune opinion si déréglée qui excusât la trahison, la déloyauté, la tyrannie, la cruauté, qui sont nos fautes ordinaires. Nous les pouvons donc bien appeler barbares, eu égard aux règles de la raison, mais non pas eu égard à nous, qui les surpassons en toute sorte de barbarie. Leur guerre est toute noble et généreuse, et a autant d'excuse et de beauté que cette maladie humaine en peut recevoir : elle n'a autre fondement parmi eux, que la seule jalousie [1] de la vertu. Ils ne sont pas en débat de [2] la conquête de nouvelles terres : car ils jouissent encore de cette uberté [3] naturelle, qui les fournit sans travail et sans peine, de toutes choses nécessaires, en telle abondance qu'ils n'ont que faire d'agrandir leurs limites. Ils sont encore en cet heureux point, de ne désirer qu'autant que leurs nécessités naturelles leur ordonnent : tout ce qui est au-delà est superflu pour eux. Ils s'entr'appellent généralement ceux de même âge frères ; enfants, ceux qui sont au-dessous ; et les vieillards sont pères à tous les autres. Ceux-ci laissent à leurs héritiers, en commun, cette pleine possession de biens par indivis [4], sans autre titre que celui, tout pur, que nature donne à ses créatures, les produisant au monde [5]. Si leurs voisins passent les montagnes pour les venir assaillir, et qu'ils emportent la victoire sur eux, l'acquêt [6] du victorieux, c'est la gloire, et l'avantage d'être demeuré maître en valeur et en vertu : car autrement ils n'ont que faire des biens des vaincus, et s'en

---

1. Recherche, émulation.
2. Ils ne s'intéressent pas à.
3. Fécondité.
4. Sans division.
5. En les mettant au monde.
6. Le gain.

retournent à leurs pays, où ils n'ont faute[1] d'aucune chose nécessaire ; ni faute encore de cette grande partie, de savoir heureusement jouir de leur condition, et s'en contenter. Autant en font ceux-ci à leur tour. Ils ne demandent à leurs prisonniers autre rançon que la confession et reconnaissance d'être vaincus. Mais il ne s'en trouve pas un en tout un siècle, qui n'aime mieux la mort, que de relâcher, ni par contenance, ni de parole, un seul point d'une grandeur de courage invincible. Il ne s'en voit aucun qui n'aime mieux être tué et mangé, que de requérir seulement de ne l'être pas. Ils les traitent en toute liberté, afin que la vie leur soit d'autant plus chère ; et les entretiennent communément des menaces de leur mort future, des tourments qu'ils y auront à souffrir, des apprêts qu'on dresse pour cet effet, du détranchement[2] de leurs membres, et du festin qui se fera à leurs dépens. Tout cela se fait pour cette seule fin, d'arracher de leur bouche quelque parole molle ou rabaissée, ou de leur donner envie de s'enfuir ; pour gagner cet avantage de les avoir épouvantés, et d'avoir fait force[3] à leur constance. Car aussi à le bien prendre, c'est en ce seul point que consiste la vraie victoire :

> *uictoria nulla est*
> *Quam quae confessos animo quoque subiugat hostes*[4].

Les Hongrois, très belliqueux combattants, ne poursuivaient jadis leur pointe outre avoir rendu l'ennemi à leur merci[5]. Car en ayant arraché cette confession, ils le lais-

---

1. Ils ne manquent.
2. Action de découper.
3. Fait violence.
4. « Il n'est de victoire que si l'on contraint l'ennemi à s'avouer vaincu aussi en son âme et conscience » (Claudien, *Le Sixième Consulat d'Honorius*, 248-249).
5. Se contentaient jadis de contraindre l'ennemi à demander grâce.

saient aller sans offense [1], sans rançon; sauf pour le plus
d'en tirer parole de ne s'armer dès lors en avant contre
eux [2]. Assez d'avantages gagnons-nous sur nos ennemis,
qui sont avantages empruntés, non pas nôtres. C'est la
qualité d'un portefaix [3], non de la vertu, d'avoir les bras
et les jambes plus raides; c'est une qualité morte et corporelle, que la disposition [4]; c'est un coup de la fortune,
de faire broncher notre ennemi, et de lui éblouir les yeux
par la lumière du Soleil; c'est un tour d'art et de science,
et qui peut tomber en une personne lâche et de néant,
d'être suffisant [5] à l'escrime. L'estimation et le prix d'un
homme consistent au cœur et en la volonté : c'est là où gît
son vrai honneur; la vaillance c'est la fermeté, non pas
des jambes et des bras, mais du courage et de l'âme; elle
ne consiste pas en la valeur de notre cheval, ni de nos
armes, mais en la nôtre. Celui qui tombe obstiné en son
courage, *si succiderit, de genu pugnat* [6]. Qui, pour quelque
danger de la mort voisine, ne relâche aucun point de son
assurance, qui regarde encore, en rendant l'âme, son
ennemi d'une vue ferme et dédaigneuse, il est battu, non
pas de nous, mais de la fortune; il est tué, non pas vaincu :
les plus vaillants sont parfois les plus infortunés. Aussi y a-
t-il des pertes triomphantes à l'envi [7] des victoires. Ni ces
quatre victoires sœurs, les plus belles que le Soleil ait
onques [8] vu de ses yeux, de Salamine, de Platées, de Mycale,

---

1. Sans mauvais traitement.
2. Sinon tout au plus d'en tirer promesse qu'il ne s'armerait plus
dorénavant contre eux.
3. Celui qui faisait métier de porter les fardeaux.
4. Bonne constitution physique.
5. Exercé.
6. «S'il vient à tomber, il combat à genoux» (Sénèque, *De la Pro-
vidence*, II, VI).
7. Aussi triomphantes que.
8. Jamais.

de Sicile[1], n'osèrent onques opposer toute leur gloire
ensemble, à la gloire de la déconfiture du roi Léonidas et
des siens au pas de Thermopyles[2]. Qui courut jamais d'une
plus glorieuse envie, et plus ambitieuse au gain du combat,
que le capitaine Ischolas à la perte ? Qui plus ingénieuse-
ment et curieusement s'est assuré de son salut, que lui de
sa ruine ? Il était commis à[3] défendre certain passage du
Péloponnèse, contre les Arcadiens. Pour quoi faire, se trouvant du tout incapable[4], vu la nature du lieu, et inégalité des
forces ; et se résolvant que tout ce qui se présenterait aux
ennemis aurait de nécessité à y demeurer[5] ; d'autre part,
estimant indigne et de sa propre vertu et magnanimité, et
du nom Lacédémonien, de faillir à sa charge, il prit entre
ces deux extrémités, un moyen parti, de telle sorte : les
plus jeunes et dispos de sa troupe, il les conserva à la tui-
tion[6] et service de leur pays, et les y renvoya. Et avec ceux
desquels le défaut était moindre[7], il délibéra de soutenir ce
pas[8] ; et par leur mort en faire acheter aux ennemis l'entrée la plus chère qu'il lui serait possible : comme il advint.
Car étant tantôt environné de toutes parts par les Arcadiens, après en avoir fait une grande boucherie, lui et les
siens furent tous mis au fil de l'épée. Est-il quelque trophée
assigné pour les vainqueurs qui ne soit mieux dû à ces vain-

---

1. Les trois premières sont des victoires des Grecs sur les Perses, la
dernière des Spartiates sur les Athéniens assiégeant Syracuse.
2. Montaigne évoque ici une célèbre bataille (480 av. J.-C.) au cours
de laquelle un petit millier de soldats grecs commandés par le roi Léonidas de Sparte livrèrent un combat perdu d'avance pour retarder la
grande armée perse à l'entrée du défilé des Thermopyles.
3. Chargé de.
4. Tout à fait incapable de le faire.
5. Concluant que tout soldat confronté aux ennemis serait
contraint d'y rester.
6. Pour la protection.
7. Ceux dont la perte pesait moins.
8. Il décida de défendre ce défilé.

cus ? Le vrai vaincre a pour son rôle l'estour[1], non pas le salut : et consiste l'honneur de la vertu, à combattre, non à battre. Pour revenir à notre histoire, il s'en faut tant que ces prisonniers se rendent, pour tout ce qu'on leur fait, qu'au rebours[2] pendant ces deux ou trois mois qu'on les garde, ils portent une contenance gaie, ils pressent leurs maîtres de se hâter de les mettre en cette épreuve, ils les défient, les injurient, leur reprochent leur lâcheté, et le nombre des batailles perdues contre les leurs. J'ai une chanson faite par un prisonnier, où il y a ce trait : Qu'ils viennent hardiment trétous[3], et s'assemblent pour dîner de lui, car ils mangeront quant et quant[4] leurs pères et leurs aïeux, qui ont servi d'aliment et de nourriture à son corps. « Ces muscles, dit-il, cette chair et ces veines, ce sont les vôtres, pauvres fous que vous êtes. Vous ne reconnaissez pas que la substance des membres de vos ancêtres s'y tient encore : savourez-les bien, vous y trouverez le goût de votre propre chair. » Invention qui ne sent aucunement la barbarie. Ceux qui les peignent mourant, et qui représentent cette action quand on les assomme, ils peignent le prisonnier crachant au visage de ceux qui le tuent, et leur faisant la moue. De vrai, ils ne cessent, jusqu'au dernier soupir, de les braver et défier de parole et de contenance. Sans mentir, au prix de nous, voilà des hommes bien sauvages ; car ou il faut qu'ils le soient bien à bon escient[5], ou que nous le soyons : il y a une merveilleuse distance entre leur forme[6] et la nôtre. Les hommes y ont plusieurs femmes, et en ont d'autant plus grand nombre, qu'ils sont en meilleure réputation de

---

1. La vraie victoire réside dans le combat.
2. Au contraire.
3. Tous sans exception.
4. En même temps.
5. Vraiment.
6. Façon d'être.

vaillance. C'est une beauté remarquable en leurs mariages, que la même jalousie que nos femmes ont pour nous empêcher de l'amitié et bienveillance d'autres femmes, les leurs l'ont toute pareille pour la leur acquérir. Étant plus soigneuses de l'honneur de leurs maris, que de toute autre chose, elles cherchent et mettent leur sollicitude à avoir le plus de compagnes qu'elles peuvent, d'autant que c'est un témoignage de la vertu du mari. Les nôtres crieront au miracle : ce ne l'est pas. C'est une vertu proprement matrimoniale, mais du plus haut étage. Et en la Bible, Léa, Rachel, Sara et les femmes de Jacob fournirent leurs belles servantes à leurs maris, et Livia seconda les appétits d'Auguste, à son intérêt[1] ; et la femme du roi Dejotarus Stratonique prêta non seulement à l'usage de son mari une fort belle jeune fille de chambre, qui la servait, mais en nourrit[2] soigneusement les enfants ; et leur fit épaule à succéder aux états de leur père. Et afin qu'on ne pense point que tout ceci se fasse par une simple et servile obligation à leur usance, et par l'impression de l'autorité de leur ancienne coutume, sans discours[3] et sans jugement, et pour avoir[4] l'âme si stupide que de ne pouvoir prendre autre parti, il faut alléguer quelques traits de leur suffisance. Outre celui que je viens de réciter de l'une de leurs chansons guerrières, j'en ai une autre amoureuse, qui commence en ce sens : « Couleuvre arrête-toi, arrête-toi couleuvre, afin que ma sœur tire sur le patron de ta peinture, la façon et l'ouvrage d'un riche cordon[5], que je puisse donner à m'amie : ainsi soit en tout temps ta beauté et ta disposition préférée à

---

1. À son détriment.
2. Éleva.
3. Réflexion.
4. Expression de la cause : « parce qu'ils auraient ».
5. Prenne modèle sur toi pour confectionner un riche cordon.

tous les autres serpents.» Ce premier couplet, c'est le refrain de la chanson. Or j'ai assez de commerce avec la poésie pour juger ceci, que non seulement il n'y a rien de barbarie en cette imagination, mais qu'elle est tout à fait anacréontique[1]. Leur langage au demeurant, c'est un langage doux, et qui a le son agréable, retirant[2] aux terminaisons grecques. Trois d'entre eux, ignorant combien coûtera un jour à leur repos et à leur bonheur la connaissance des corruptions de deçà, et que de ce commerce naîtra leur ruine, comme je présuppose qu'elle soit déjà avancée (bien misérables de s'être laissés piper au désir de la nouveauté, et [d']avoir quitté la douceur de leur ciel, pour venir voir le nôtre) furent à Rouen, du temps que le feu Roi Charles neuvième y était. Le roi parla à eux longtemps, on leur fit voir notre façon, notre pompe, la forme d'une belle ville : après cela, quelqu'un en demanda leur avis, et voulut savoir d'eux ce qu'ils y avaient trouvé de plus admirable. Ils répondirent trois choses, dont j'ai perdu la troisième, et en suis bien marri ; mais j'en ai encore deux en mémoire. Ils dirent qu'ils trouvaient en premier lieu fort étrange que tant de grands hommes portant barbe, forts et armés, qui étaient autour du roi (il est vraisemblable qu'ils parlaient des Suisses de sa garde) se soumissent à obéir à un enfant, et qu'on ne choisissait plutôt quelqu'un d'entre eux pour commander. Secondement (ils ont une façon de leur langage telle qu'ils nomment les hommes «moitié» les uns des autres) qu'ils avaient aperçu qu'il y avait parmi nous des hommes pleins et gorgés de toutes sortes de commodités, et que leurs moitiés étaient mendiants à leurs portes, décharnés de faim

---

1. Inspirée ou digne d'Anacréon, poète lyrique grec (VIe-Ve s. av. J.-C.), dont les *Odes*, publiées en 1554, ont remporté un grand succès et suscité une véritable mode.
2. Ressemblant.

et de pauvreté ; et trouvaient étrange comme ces moitiés
ici nécessiteuses, pouvaient souffrir une telle injustice, qu'ils
ne prissent les autres à la gorge, ou missent le feu à leurs
maisons. Je parlai à l'un d'eux fort longtemps, mais j'avais
un truchement[1] qui me suivait si mal, et qui était si empêché à recevoir mes imaginations par sa bêtise, que je n'en
pus tirer rien qui vaille. Sur ce que je lui demandais quel
fruit il recevait de la supériorité qu'il avait parmi les siens
(car c'était un capitaine, et nos matelots le nommaient roi),
il me dit que c'était marcher le premier à la guerre. De combien d'hommes il était suivi ; il me montra un espace de lieu,
pour signifier que c'était autant qu'il en pourrait[2] en un tel
espace, ce pouvait être quatre ou cinq mille hommes. Si
hors la guerre toute son autorité était expirée ; il dit qu'il
lui en restait cela, que quand il visitait les villages qui dépen-
daient de lui, on lui dressait des sentiers au travers des haies
de leurs bois, par où il pût passer bien à l'aise. Tout cela ne
va pas trop mal : mais quoi ? ils ne portent point de haut de
chausses[3].

---

1. Interprète.
2. Qu'il pourrait en tenir.
3. Partie de l'habillement masculin allant de la ceinture aux
genoux.

La peur de l'autre

(anthologie)

La peur de l'autre

(anthologie)

L'autre, quand on le situe par rapport à soi-même, c'est celui qui n'est pas moi, qui est différent de moi. Cette altérité (qui s'oppose à l'identité) est souvent mise à distance : à l'autre est associé l'ailleurs. Cet ailleurs sera tout ce qui n'est pas « ici » : le reste du monde pour les Grecs et les Romains ; un Orient à la fois fascinant et terrifiant au Moyen Âge ; le Nouveau Monde à la Renaissance ; l'utopie (souvent lunaire) au XVIIe siècle ; les îles au XVIIIe siècle ; l'Orient à nouveau, étendu et vague, au XIXe siècle...

À la distance géographique réelle s'ajoute souvent la peur de l'inconnu. Si l'on veut avoir une petite idée de la façon dont les hommes se représentaient les habitants des terres inconnues, on peut réfléchir aux leçons actuelles des œuvres — nouvelles, romans ou films — de science-fiction. Les extraterrestres (littéralement ceux qui ne sont pas d'ici, de la Terre) sont, certes, très différents de l'homme (souvent verts, avec plus ou moins d'yeux, de jambes, de bras que nous), mais ne nous empruntent-ils pas, malgré tout, quelques-uns de nos traits ? Avons-nous vraiment le moyen d'imaginer une forme de vie totalement autre ?

Face à l'autre, surtout si je ne le comprends pas, si je ne le reconnais pas, je me demande « si c'est un homme ». Est-il, comme moi, un membre de l'humanité, même méta-

morphosée, ou se trouve-t-il hors de l'humanité ? Les textes
ici rassemblés nous confrontent tous à cette question et à
ses multiples implications.

ARISTOTE (384-322 av. J.-C.)

Politique, I, ɪɪ

(trad. du grec ancien par Jean Aubonnet, Les Belles Lettres, repris en « Tel » n° 221)

L'article « Barbares » de l'Encyclopédie de Diderot et d'Alembert souligne que « c'est le nom que les Grecs donnaient par mépris à toutes les nations qui ne parlaient pas leur langue, ou du moins qui ne la parlaient pas aussi bien qu'eux ». Le terme signifie donc, assez simplement, « non grec », ou plus exactement toute personne dont les Grecs ne comprennent pas la langue et qui donc s'exprime à leurs yeux par onomatopées : bar-bar-bar.

Ce critère linguistique pourrait ne pas impliquer une hiérarchie. Le terme de « barbare » ne désignait pas forcément des peuples moins « civilisés », il était par exemple utilisé pour les Égyptiens. Mais les propos d'Aristote — qui figurent dans un passage précédant de peu la célèbre affirmation « l'homme est un animal politique », et qui ont été largement réutilisés à la Renaissance pour justifier la colonisation et l'esclavage — révèlent qu'il se double d'un préjugé tenace en faveur de la primauté de la civilisation grecque, et d'une conception inégalitaire de l'humanité.

C'est donc en regardant les choses évoluer depuis leur origine, qu'on peut, ici comme ailleurs, en [1] avoir la vue plus juste.

---

1. Il s'agit de l'organisation de la cité.

Tout d'abord, il est nécessaire que s'unissent par couples les êtres qui ne peuvent exister l'un sans l'autre, tels la femelle et le mâle, en vue de la génération (et ce n'est pas là l'effet d'un choix, mais, tout comme chez les animaux en général et les plantes, c'est une loi naturelle que la tendance à laisser après soi un autre pareil à soi-même) ; tels encore, pour leur conservation, l'être qui par nature commande et l'être qui obéit. L'être qui, grâce à son intelligence, est capable de prévoir est chef par nature, maître par nature ; l'être qui, grâce à sa vigueur corporelle, est capable d'exécuter est subordonné, esclave par nature ; c'est pourquoi maître et esclave ont même intérêt. Ainsi donc c'est par nature que la femme et l'esclave sont différents, car la nature ne fait rien avec parcimonie comme ces artisans qui forgent les couteaux de Delphes [1], mais elle fait chaque objet pour un seul usage ; chaque instrument, en effet, ne peut remplir parfaitement sa fonction que s'il sert, non à plusieurs usages, mais à un seul. Chez les Barbares la femme et l'esclave ont le même rang. La raison en est que ce qui est par nature commande, ils ne l'ont pas et leur communauté n'est que celle d'une esclave et d'un esclave ; aussi les poètes disent-ils :

Au Barbare l'Hellène a droit de commander [2],

comme si par nature barbare et esclave, c'était la même chose.

De tels préjugés tenaient, pour une bonne part, à une méconnaissance totale de l'étranger : la description des autres

---

1. Couteaux qui devaient servir à plusieurs usages.
2. Euripide, *Iphigénie à Aulis*, v. 1400.

sert surtout à marquer leur différence; on s'intéresse moins à ce qui fait d'eux des hommes qu'à ce qui, chez eux, semble à la limite de la nature et de l'humanité.

HÉRODOTE (484-425 av. J.-C.)

L'Enquête, livre IV, XXVI

(trad. du grec ancien par Andrée Barguet,
« Folio classique » n° 1651)

À l'inverse, un voyageur comme Hérodote, qui connaissait et le monde grec (des cités indépendantes les unes des autres, qui se reconnaissaient d'une même race parce qu'elles parlaient la même langue) et le monde barbare (tous les peuples que les Grecs confondaient sous ce nom et qui recouvrent un monde immense), ne manque pas de souligner que les Égyptiens, peuple le plus ancien, riche en curiosités et en merveilles, «traitent de Barbares tous les peuples qui ne parlent pas leur langue» (L'Enquête, II, 158) — y compris les Grecs!

C'est à lui que l'on doit les premières informations que l'on ait sur le peuple des Scythes et certaines de ses inquiétantes pratiques (auxquelles fait référence Montaigne, voir p. 23)... Mais, quelle que soit l'horreur que suscite son témoignage, il narre tout avec la même tranquillité, considérant qu'il convient de respecter les usages et les croyances d'autrui, puisque «la coutume est la reine du monde» (III, 38). Parmi les peuples scythes, il décrit (entre autres) les mœurs des Issédones.

Voici, dit-on, les coutumes des Issédones. Lorsqu'un homme a perdu son père, tous ses proches lui amènent du bétail; les animaux sont sacrifiés et dépecés, puis on découpe également le cadavre du père, on mêle toutes les viandes et l'on sert un banquet. La tête du mort, soigneusement rasée, vidée, est recouverte de feuilles d'or et devient pour eux une image sacrée à laquelle on offre tous les ans des sacrifices somptueux. Le fils rend cet honneur à son père, de même qu'en Grèce on célèbre le jour anniversaire de la mort. Au reste les Issédones sont eux aussi, dit-on, vertueux, et les femmes ont chez eux les mêmes droits que les hommes.

Un peu plus loin, il décrit les sacrifices communs à tous les peuples scythes.

Voici comment ils honorent Arès[1] : [...] on lui offre tous les ans du bétail et des chevaux en sacrifice, en bien plus grand nombre encore qu'aux autres dieux. De tous leurs prisonniers de guerre ils sacrifient un homme sur cent, mais avec d'autres cérémonies que pour le bétail : ils font des libations de vin sur la tête des victimes et les égorgent au-dessus d'un bassin qu'ils montent sur l'échafaudage de fagots, pour répandre le sang sur le glaive. Ils portent donc le sang au sommet de ce temple, et ils accomplissent un autre rite à son pied : aux hommes qu'ils ont égorgés, ils coupent le bras droit avec l'épaule et le jettent en l'air ; puis, la dernière victime achevée, ils s'en vont, et les bras et les corps demeurent où ils sont tombés.

Tels sont les sacrifices des Scythes. J'ajoute qu'ils n'immolent jamais de porcs et ne tolèrent même pas l'élevage de ces bêtes dans leur pays.

Pour la guerre, voici les usages qu'ils observent : tout Scythe qui tue pour la première fois boit du sang de sa victime ; aux ennemis qu'il abat dans une bataille, il coupe la tête qu'il présente au roi : s'il présente une tête, il a sa part

---

1. Dieu de la guerre dans la mythologie grecque (Mars, en latin).

du butin conquis ; sinon il ne reçoit rien. Voici comment on scalpe une tête : on fait une incision circulaire en contournant les oreilles, puis d'une brusque secousse on détache la peau du crâne ; on la racle à l'aide d'une côte de bœuf, on l'assouplit en la maniant, après quoi on s'en sert comme d'une serviette et on l'accroche à la bride de son cheval, avec fierté, car qui en possède le plus grand nombre passe pour le plus vaillant. Beaucoup s'en font même des manteaux en les cousant ensemble, à la manière des casaques des bergers. Beaucoup aussi prélèvent sur les cadavres de leurs adversaires la peau de la main droite avec les ongles, pour en faire des couvercles de carquois ; la peau humaine est assurément épaisse et lustrée, supérieure peut-être à toutes les autres en blancheur et en éclat. Beaucoup écorchent même des hommes tout entiers et tendent les peaux sur des cadres de bois qu'ils juchent sur leurs chevaux pour les exhiber à la ronde.

Telles sont leurs coutumes. À certaines têtes, celles de leurs pires ennemis seulement, ils réservent un traitement particulier : ils scient le crâne à la hauteur des sourcils et le nettoient ; les pauvres l'emploient tel quel et lui font seulement un étui en cuir de bœuf non tanné ; les riches lui font également un étui de cuir, mais le dorent à l'intérieur, pour l'employer en guise de coupe. Ils traitent de la même façon la tête d'un parent, s'ils se sont querellés avec lui et l'ont vaincu en présence du roi. Quand ils reçoivent des hôtes d'importance, ils leur montrent ces têtes et leur expliquent qu'il s'agit de parents qui leur avaient déclaré la guerre et dont ils ont triomphé ; c'est pour eux la preuve de leur valeur.

PLUTARQUE (Iᵉʳ- IIᵉ s. ap. J.-C.)

Vies parallèles

« Vie de Nicias¹ », XXVIII-XXIX

(trad. du grec ancien par Anne-Marie Ozanam, « Quarto »)

Les Grecs furent finalement vaincus par les Romains… Ceux-ci appliquèrent à leur tour le terme « barbare » aux peuples qui entouraient leur propre monde, notamment aux Gaulois et aux peuples germaniques.

Alors que la « paix romaine » s'étend sur un vaste empire, Plutarque entreprend les Vies parallèles, qui comparent les Grecs et les Romains, montrant ainsi que, même vaincue et réduite à n'être qu'une province de l'Empire romain, la Grèce lui reste comparable. Surtout, comme le souligne le poète Horace, « la Grèce conquise a conquis son farouche vainqueur et introduit les arts dans le rustique Latium ». Les Romains, qui ont triomphé par les armes, reconnaissent la supériorité culturelle de la Grèce et se l'approprient, si bien que les Grecs renoncent à considérer les Romains comme des Barbares. Entre eux, comme entre les Grecs, même issus d'une cité ennemie, la culture peut constituer un signe de reconnaissance, comme en témoigne cet épisode significatif.

---

1. Nicias, stratège qui joua un rôle durant la guerre du Péloponnèse, fut chargé par les Athéniens, en 415 av. J.-C., de mener l'expédition de Sicile, au cours de laquelle il trouva probablement la mort. Il s'était opposé à cette expédition, sans réussir à convaincre les Athéniens séduits par les arguments d'Alcibiade. Ce fut l'une des plus graves défaites subies par Athènes.

XXVIII.

Une assemblée plénière des Syracusains [1] et de leurs alliés
fut réunie. Le démagogue Euryclès proposa un décret portant
en premier lieu que le jour de la capture de Nicias serait un
jour sacré : on y offrirait des sacrifices, on s'abstiendrait de
tous travaux, et ces fêtes seraient appelées Asinaria, du nom
du fleuve ; c'était le quatrième jour de la troisième décade
du déclin du mois Carneios que les Athéniens appellent
Métageitnion [2]. Les esclaves et les alliés des Athéniens seraient
vendus, les Athéniens eux-mêmes et leurs alliés de Sicile jetés
en prison dans les carrières, à l'exception des stratèges, qui
seraient mis à mort. Les Syracusains approuvèrent ces propositions. Hermocratès déclara qu'il y avait plus beau que
la victoire, c'était d'en faire un noble usage, mais il fut
abondamment conspué ; quant à Gylippe, qui réclamait les
stratèges des Athéniens pour les ramener vivants aux
Lacédémoniens, les Syracusains, rendus insolents par leurs
succès, l'insultèrent [...]. Quant à Démosthénès et à Nicias,
Timée affirme qu'ils ne furent pas mis à mort sur l'ordre
des Syracusains, comme l'ont écrit Philistos et Thucydide ;
Hermocratès leur aurait envoyé un message, alors que
l'assemblée était encore en séance et, grâce à la complaisance
d'un de leurs gardes, ils se seraient donné la mort.
Quoi qu'il en soit, leurs corps furent jetés devant les portes
de la cité, exposés aux regards de tous ceux qui voulaient
les contempler. J'apprends que, de nos jours encore, on
montre à Syracuse un bouclier appelé « bouclier de Nicias »,

---

1. Syracuse, importante cité de Sicile fondée par les Ioniens d'Eubée, c'est-à-dire des Grecs.
2. Deuxième mois de l'année athénienne, qui correspond à peu
près au mois d'août.

déposé dans un sanctuaire : il est recouvert d'or et de pourpre artistement tissés.

XXIX.

La plupart des Athéniens moururent dans les carrières, de maladie ou de manque de nourriture : chaque jour ils recevaient deux cotyles[1] d'orge et une seule cotyle d'eau. D'autres, en assez grand nombre, furent vendus, soit parce qu'on les avait dérobés, soit parce qu'ils se firent passer pour des esclaves. — et on les vendit effectivement comme des esclaves, marqués d'un cheval sur le front[2] : certains allèrent jusqu'à accepter cette humiliation en plus de l'esclavage. Cependant, ils furent vite libérés ou, s'ils restèrent chez ceux qui les avaient acquis, ils furent honorablement traités. Certains durent même leur salut à Euripide. — car, de tous les Grecs du dehors, les Siciliens étaient, apparemment, ceux qui se passionnaient le plus pour la muse de ce poète. Chaque fois que des arrivants leur apportaient de minces échantillons et comme un avant-goût de son œuvre, ils apprenaient ces morceaux par cœur et se les communiquaient joyeusement les uns aux autres. En la circonstance en tout cas, ceux qui furent sauvés et purent rentrer chez eux allèrent en foule, dit-on, saluer chaleureusement Euripide, lui racontant, les uns, qu'étant esclaves, ils avaient été libérés pour avoir appris à leurs maîtres tout ce qu'ils se remémoraient de ses poèmes, les autres, qu'errant à l'aventure après la bataille, ils avaient reçu de la nourriture et de l'eau pour avoir chanté ses vers. Il ne faut pas non plus s'étonner de ce que l'on raconte à propos des gens de

---

1. Une cotyle représente environ un quart de litre.
2. Peut-être parce que le cheval Pégase figurait sur les monnaies de Syracuse, cité qui mit ces hommes en vente.

Caunos : comme un vaisseau, poursuivi par les pirates, s'approchait de leurs ports, ils refusèrent d'abord de le recevoir et le repoussèrent, puis demandèrent aux marins s'ils reconnaissaient des chants d'Euripide et, sur leur réponse affirmative, laissèrent entrer le navire.

Cet épisode, légèrement modifié, a inspiré la méditation de Jean Clair, dans La Barbarie ordinaire (2001), *sur ce que peut la culture dans le quotidien d'un camp de concentration : « savoir par cœur un poème met à l'abri du désastre ». Dès avant, les œuvres de Plutarque ont eu un immense retentissement à la Renaissance, et notamment chez Montaigne qui lui emprunte aussi bien des anecdotes et jugements moraux qu'un style et un procédé de composition.*

JEAN DE JOINVILLE (1224-1317)

Vie de saint Louis (1305-1309)

Chapitre LI

(trad. de l'ancien français par Jacques Monfrin,
Le Livre de poche)

*Les Romains furent à leur tour vaincus : après l'«âge d'or»
du siècle d'Auguste, l'empire d'Occident entre dans une période
de décadence qui se poursuit jusqu'à sa chute, en 476, sous les
coups des «invasions barbares».*

*Il y a désormais une séparation nette entre l'Empire romain
d'Orient et l'Europe occidentale, dont les différents peuples ont
conscience d'appartenir à une même communauté, la chrétienté.
D'où une condamnation de la guerre entre chrétiens, au profit
de la «guerre juste», celle qu'il faut mener contre les infidèles,
notamment par le biais des croisades. Le but des croisades est
double : il s'agit d'une part, pour mériter le salut, d'imiter le Christ
en souffrant et mourant sur les lieux mêmes où il a vécu sa Passion, et d'autre part de délivrer la Terre sainte.*

*Cette prégnance du religieux n'est guère favorable à une
meilleure connaissance de l'autre. L'omniprésence du christianisme
en Europe fait de tous ceux qui ne partagent pas cette foi des
figures de l'altérité plus ou moins caricaturées : considérés comme
déicides, les Juifs sont souvent associés au diable. Le Sarrasin est
lui aussi figé dans une représentation que relaient les chansons
de geste à partir de la Chanson de Roland. Son portrait n'est
pas entièrement négatif, car il faut au chevalier chrétien un adversaire digne de lui... La reconnaissance de sa valeur ne passe toutefois pas par une réelle connaissance des spécificités de l'Islam.*

Paradoxalement, c'est dans les écrits de clercs qui ont vécu en Terre sainte que s'esquisse une image plus juste de ces réalités lointaines. Jean de Joinville, qui accompagna Louis XI lors de la septième croisade (1244-1254), resta à ses côtés en Terre sainte durant ces dix années. Voici la façon dont il décrit les Bédouins.

Les Bédouins ne demeurent ni dans des villages ni dans des cités, ni dans des châteaux, mais ils couchent toujours dans les champs. Et ils installent leurs serviteurs, leurs femmes, leurs enfants, le soir pour la nuit, ou de jour quand il fait mauvais temps, dans des sortes de tentes qu'ils font avec des cercles de tonneaux attachés à des perches, comme sont les chars des dames ; et sur ces cercles ils jettent des peaux de mouton que l'on appelle peaux de Damas, préparées dans l'alun [1]. Les Bédouins eux-mêmes ont de grandes pelisses de ces peaux qui leur couvrent tout le corps, les jambes et les pieds.

Quand il pleut le soir et qu'il fait mauvais temps la nuit, ils s'enveloppent dans leurs pelisses, et ôtent les brides de leurs chevaux, et les laissent paître à côté d'eux. Et quand arrive le lendemain, ils étendent leurs pelisses au soleil et les frottent et les apprêtent ; et il ne paraîtra en rien qu'elles aient été mouillées le soir. Leur croyance est telle que nul ne peut mourir qu'à son jour, et pour cela ils ne veulent pas d'armes défensives. Et quand ils maudissent leurs enfants, ils leur disent : « Ainsi sois-tu maudit comme le Franc qui s'arme par peur de la mort. » Au combat, ils ne portent rien que l'épée et la lance.

Presque tous sont vêtus d'un surplis [2], comme les prêtres. Leurs têtes sont entortillées de linges qui leur passent

---

1. Sulfate.
2. Littéralement : ce qui est sur la pelisse. Vêtement de lin que les prêtres portent sur la soutane.

par-dessous le menton, ce qui les rend gens très laids et hideux à regarder, car les cheveux de leur tête et les poils de leur barbe sont tout noirs. Ils vivent du lait de leurs bêtes, et achètent dans les plaines appartenant à des hommes de haut rang les pâturages dont vivent leurs bêtes. Leur nombre, personne ne saurait le dire, car il y en a dans le royaume d'Égypte, dans le royaume de Jérusalem et dans toutes les autres terres des Sarrasins et des païens, à qui ils rendent chaque année de grands tributs [1].

---

1. Contributions forcées.

MARCO POLO (1254-1324)

Le Devisement du monde (1298), LXII, CXCII

(trad. de l'ancien français par Violette d'Aignan,
« La bibliothèque Gallimard » n° 1)

*D'autres ouvrages prétendent décrire (le Moyen Âge utilise le
verbe « deviser ») le monde, que l'on se représente depuis l'Antiquité grecque en trois zones (l'Asie, l'Europe et l'Afrique), encer-
clées par un océan. Certains ouvrages, obéissant à un ordre
censé refléter la logique divine, faisaient succéder à la description du paradis terrestre, situé quelque part en Asie, celles de
l'Inde, du Proche-Orient, de l'Égypte, de la Chine (ou plutôt du
peu qu'on en connaissait), puis de l'Anatolie. Les nations d'Europe suivaient, détaillées d'est en ouest, puis l'Afrique — peuplée selon une tradition judéo-chrétienne par les descendants de
Cham, fils maudit de Noé. L'Éthiopie bénéficie d'un traitement
tout à fait singulier : royaume du légendaire Prêtre Jean (donc
chrétien), elle est située à la croisée de l'Afrique et de... l'Inde
(Marco Polo la désigne comme « Inde Moyenne »). On voit combien l'imagination occidentale cristallise autour de l'Inde, située
aux limites de l'univers connu, monde aussi fascinant qu'inquiétant, véritable « horizon onirique » (Jacques Le Goff). Cette imagination se nourrit en particulier de la légende d'Alexandre et de
ses conquêtes, qui ont inspiré de nombreux romans latins et français. L'ouvrage de Marco Polo promet dès l'ouverture « la description des merveilles de l'Inde », mais, auparavant, il leur en
substitue d'autres, celles de la Chine, qui dépendait alors de l'immense Empire mongol. La « merveille », confondue avec le « réel*

de l'autre » (François Hartog), est révélatrice de l'attention portée, dans ce que l'on découvre ailleurs, à ce qui étonne.

Avec Marco Polo, on passe donc des Barbares aux Tartares — qui alimentèrent eux aussi bien des peurs en Occident. Le Devisement du monde, après une sorte de prologue en dix-huit chapitres qui racontent le séjour du Vénitien sous l'empire du Grand Khan, comporte toute une série de petits chapitres, presque des notices, portant chacun sur une contrée donnée. On comparera ici l'évocation de la cité de Ganzhou, où Marco Polo séjourna, et celle des habitants du Zanzibar, que sans doute il ne décrit que par ouï-dire.

LXII. Ganzhou

Ganzhou est une ville très importante et de grand renom et elle est la capitale de tout le pays de Tangout[1]. Ses habitants sont en majorité idolâtres[2] mais certains adorent Mahomet et il y a aussi des chrétiens qui ont dans cette ville trois églises grandes et belles. Les idolâtres ont beaucoup d'églises et de monastères propres à leurs rites. Ils ont une énorme quantité d'idoles, et je peux vous dire qu'ils en ont qui mesurent dix pas : quelques-unes sont en bois, d'autres en terre, d'autres en pierre, et elles sont toutes recouvertes d'or et très bien ouvragées. Ces grandes idoles sont couchées et beaucoup de petites idoles sont autour d'elles, comme si elles se prosternaient devant elles et leur témoignaient leur respect. Comme je ne vous ai pas conté tout ce qui concerne les idolâtres, je vais le faire ici.

---

1. Le territoire occupé par les Tangout se situe au nord-ouest de la Chine. Il fut conquis par les Mongols en 1227.
2. C'est ainsi que Marco Polo désigne les bouddhistes, en raison des idoles qu'il a pu découvrir dans leurs temples. Le bouddhisme, né en Inde, s'était répandu en Chine et dans tout l'Est asiatique.

Sachez que ceux qui, parmi les idolâtres, sont leurs religieux vivent plus honnêtement que les autres et se gardent du péché de luxure, même s'ils ne le considèrent pas comme un grand péché [...]. Je peux vous dire qu'ils ont un calendrier comme nous mais qui est fait d'après les lunaisons. Il y a certaines lunaisons où tous les idolâtres du monde s'interdisent de tuer des bêtes ou des oiseaux pendant cinq jours : ils ne mangent aucune viande qui aurait été tuée pendant cette période et, pendant ces cinq jours, ils vivent plus honnêtement que le reste du temps. Les hommes prennent jusqu'à trente épouses, quelquefois plus, quelquefois moins, selon leur richesse et le nombre de femmes qu'ils peuvent entretenir. Les maris donnent à leurs épouses, pour leur douaire[1], du bétail, des esclaves et de l'argent, selon leurs possibilités ; mais sachez que la première épouse obtient la meilleure part. Je peux vous dire aussi que, s'ils voient qu'une de leurs femmes n'est pas bonne ou qu'elle ne leur plaît pas, ils peuvent la chasser et faire comme bon leur semble [...].

Nous n'en disons pas plus et vous conterons des autres pays vers le nord. Je peux vous dire que messire Nicolo, messire Maffeo[2] et messire Marco restèrent un an dans cette ville pour leurs affaires mais il n'est pas utile d'en dire davantage [...].

---

1. En droit ancien : droit d'usufruit sur ses biens qu'un mari assignait à sa femme par son mariage et dont elle jouissait si elle lui survivait.
2. Père et oncle de Marco Polo.

CXCII. L'île de Zanzibar [1]

Zanzibar est une île très vaste et réputée, qui fait bien deux mille milles [2] de tour. Tous les habitants sont idolâtres et ont une langue spécifique. Ils sont gouvernés par un roi et ne versent tribut à personne. Ils sont grands et gros : assurément, ils ne sont pas aussi grands qu'ils ne sont gros ; je peux vous certifier en effet qu'ils sont si robustes et costauds qu'on dirait des géants. Leur force est si extraordinaire qu'ils sont capables de porter la charge de quatre hommes, et cela n'est pas étonnant car je peux vous assurer qu'ils mangent bien autant de nourriture que cinq hommes réunis. Ils sont tout noirs et vont nus, sauf qu'ils couvrent leur sexe. Ils ont les cheveux si crépus qu'on pourrait très difficilement les lisser avec l'eau. Ils ont une si grosse bouche, le nez si retroussé, les lèvres si épaisses et les yeux si grands qu'ils offrent un aspect horrible et celui qui les verrait dans un autre pays les prendrait pour des diables.

Il naît beaucoup d'éléphants dans le pays et les habitants font un grand commerce de leurs dents. Ils ont aussi des lions différents les uns des autres, des onces [3] et des léopards. Que pourrais-je en dire ? Tous leurs animaux sont différents des autres qui existent par le monde. Je peux vous dire ainsi qu'ils ont des moutons et des brebis qui sont seulement d'une sorte : tout blancs avec la tête noire, et vous ne trouverez pas dans toute l'île de moutons d'autre sorte. Il y naît aussi beaucoup de girafes qui sont très belles à voir ;

---

1. Archipel de l'océan indien situé en face des côtes de Tanzanie.
2. Unité de mesure approximative, valant mille pas (environ 1 482 m) chez les Romains.
3. Grand félin d'Asie centrale, qui ressemble à la panthère.

elles sont faites de la manière suivante : elles ont un corps assez petit et plutôt bas du derrière, car les pattes de derrière sont courtes ; en revanche, les pattes de devant et le cou sont très allongés, de sorte que la tête, qui est assez petite, est placée très haut, à trois pas environ du sol. C'est un animal inoffensif ; elle est de couleur rouge et blanche, avec des ocelles [1], et est très belle à voir.

J'ajoute encore quelque chose au sujet de l'éléphant, que j'avais oubliée. Sachez que, lorsque l'éléphant veut couvrir la femelle, il creuse une fosse dans la terre de façon à placer la femelle dedans, à la renverse, comme une femme, car son sexe est très près du ventre, et que le mâle la monte comme si c'était un homme. Je peux vous dire aussi que les femmes de cette île ont un aspect très laid : elles ont une grande bouche, de gros yeux, un grand nez, et des mamelles quatre fois plus grandes que celles des autres femmes. […]

Christophe Colomb fut un lecteur attentif de l'ouvrage de Marco Polo : l'exemplaire qu'il consulta, conservé à la bibliothèque de Séville, porte en marge nombre d'annotations et de commentaires. D'ailleurs, c'est bien les Indes qu'il cherchait à atteindre lorsqu'il découvrit le Nouveau Monde. C'est l'occasion de souligner deux contradictions majeures. D'une part, alors qu'on associe étroitement la Renaissance aux grandes découvertes, l'idée même d'un Nouveau Monde mit du temps à s'imposer aux contemporains. D'autre part, « la période qui mit l'homme au centre du monde, appellation qui tient aujourd'hui du lieu commun, n'eut guère de scrupules à nier l'humanité de populations entières » (Pascal Brioist).

---

1. Taches rondes dont le centre est d'une couleur différente de celle de la circonférence.

La traite des Noirs, pratiquée depuis le VIIIe siècle par les Arabes, fut poursuivie par les Portugais et étendue aux populations antillaises à l'initiative de Christophe Colomb lui-même.

FRANÇOIS RABELAIS (v. 1483-1553)

Tiers Livre (1546)

Chapitre I, « Comment Pantagruel transporta
une colonie de Utopiens en Dipsodie »

(modernisation par Christine Bénévent)

*Face à l'altérité radicale que présentaient les Amérindiens, la
première question qui se posa aux explorateurs fut de savoir s'il
fallait les voir comme des populations à convertir ou comme des
populations à exploiter économiquement. La première option est
résolument humaniste : Rabelais, dans le* Tiers Livre, *rappelle
les règles à observer à l'égard des peuples conquis.*

Pantagruel [après] avoir entièrement conquis le pays de
Dipsodie [1], en celui-ci transporta une colonie de Utopiens
en nombre de 9876543210 hommes, sans les femmes et
petits enfants [2], artisans de tous métiers, et professeurs de
toutes sciences libérales, pour ledit pays refraîchir [3], peupler
et orner, mal autrement habité et désert en grande partie.
Et les transporta non tant pour l'excessive multitude

---

1. Les Dipsodes (ou les Assoiffés) avaient envahi une partie d'Utopie, le royaume de Gargantua. Rabelais reprend et achève le récit de
la guerre victorieuse menée par Pantagruel dans le roman du même
nom.
2. Locution biblique que Rabelais utilise volontiers dans ses
énumérations fantaisistes. En l'occurrence, le chiffre, évidemment
énorme, permet surtout à Rabelais de jouer avec les chiffres arabes,
utilisés pour la première fois dans l'édition de ses œuvres.
3. Renouveler.

d'hommes et femmes [...], non tant aussi pour la fertilité
du sol, salubrité du ciel et commodité du pays de Dipsodie,
que pour celui-ci contenir en office et obéissance par nouveau transport de ses antiques et féaux[1] sujets, lesquels de
toute mémoire autre seigneur n'avaient connu, reconnu,
avoué ni servi, que lui, et lesquels, dès lors que naquirent
et entrèrent au monde, avec le lait de leurs mères nourrices avaient pareillement sucé la douceur et débonnaireté
de son règne, et en celle-ci étaient tousdis[2] confits et nourris : qui était espoir certain que plus tôt défaudraient de[3]
vie corporelle que de cette première et unique sujétion
naturellement due à leur prince, [en] quelque lieu que fussent épars et transportés, et non seulement tels seraient
eux et les enfants successivement naissant de leur sang, mais
aussi en cette féaulté[4] et obéissance entretiendraient les
nations de nouveau adjointes à son empire.

Ce que véritablement advint, et [il] ne fut aucunement
frustré en sa délibération[5]. Car si les Utopiens, avant ce
transport, avaient été féaux et bien reconnaissants, les Dipsodes, [après] avoir peu de jours avec eux conversé,
l'étaient encore davantage, par ne sais quelle ferveur naturelle en tous humains au commencement de toutes œuvres
qui leur viennent à gré. Seulement se plaignaient, obtestant[6]
tous les cieux et intelligences motrices[7], de ce que plus tôt
n'était à leur notice[8] venue la renommée du bon Pantagruel.

Noterez donc ici, Buveurs, que la manière d'entretenir

---

1. Fidèles.
2. Toujours.
3. Perdraient.
4. Fidélité, loyauté.
5. Trompé en sa réflexion.
6. Prenant à témoin.
7. Ce sont des moteurs qui feraient mouvoir les sphères célestes,
notamment selon les néoplatoniciens.
8. Connaissance.

et retenir pays nouvellement conquis n'est (comme a été l'opinion erronée de certains esprits tyranniques à leur dam et déshonneur[1]) les peuples pillant, forçant, angariant[2], ruinant, mal vexant[3] et régissant avec verges de fer[4]; bref, les peuples mangeant et dévorant, en la façon que Homère appelle le roi inique Demovore[5], c'est-à-dire mangeur de peuple. Je ne vous alléguerai à ce propos les histoires antiques, seulement vous révoquerai en recordation[6] de ce qu'en ont vu vos pères, et vous-mêmes, si trop jeunes n'êtes. Comme enfant nouvellement né les faut allaiter, bercer, esjouir[7]. Comme arbre nouvellement planté les faut appuyer, assurer, défendre de toutes vimères[8], injures et calamités. Comme personne sauvée de longue et forte maladie, et venant à convalescence les faut choyer, épargner, restaurer. De sorte qu'ils conçoivent en soi cette opinion, n'être au monde roi ni prince, que moins voulsissent ennemi, plus optassent ami[9].

---

1. C'est peut-être Machiavel qui est visé.
2. Tourmentant, en particulier en accablant de corvées.
3. Maltraitant.
4. Locution biblique.
5. Homère qualifie ainsi le roi injuste. « Demovore » est l'adjectif grec qu'Achille applique à Agamemnon dans l'*Iliade* (I, 231).
6. Je vous rappellerai au souvenir. Peut-être s'agit-il d'une allusion à la conquête du Nouveau Monde par les Espagnols.
7. Réjouir ou consoler.
8. Orages.
9. Subjonctifs imparfaits. Qu'ils voulussent moins comme ennemi et souhaitassent davantage comme ami.

BARTOLOMÉ DE LAS CASAS (1470-1566)

Histoire apologétique des Indes

(cité par S. Zavala dans son introduction à la *Très brève relation de la destruction des Indes*, Mouton, 1974)

De tels principes sont exactement ceux que défend Bartolomé de Las Casas, conquistador de Cuba devenu prêtre, puis évêque du Chiapas, moine dominicain choqué par les effroyables exactions des Espagnols, qu'il énumère et décrit dans la *Très brève relation de la destruction des Indes*, publiée à la suite de la controverse de Valladolid (1551), qui l'opposa à Juan de Sepulveda. Ce dernier revendiquait, en s'appuyant sur Aristote, le droit de réduire en esclavage des peuples inférieurs. Il arguait notamment du cannibalisme et des sacrifices humains pratiqués par les Indiens pour démontrer leur inhumanité. Las Casas les présente au contraire comme doux, humains, sensibles à la loi naturelle. Fidèle aux leçons de l'humanisme, il précise :

Certes, les hommes au début ont tous été incultes, comme une terre non labourée, farouches et bestiaux; mais ils ont, dans leurs âmes, une sagesse naturelle, une habileté foncière puisque, créés par Dieu, ils sont rationnels; par conséquent, si on les appelle et si on les persuade avec habileté par la raison et l'amour (c'est ainsi qu'il faut attirer les êtres rationnels vers l'exercice de la vertu), toute nation, même la plus barbare, la plus farouche, la plus dépravée dans ses mœurs, pourra être amenée à adopter les vertus civiques et à s'intégrer à la communauté des hommes sociaux, policés, rationnels.

JEAN DE LÉRY (1534-1613)

Histoire d'un voyage fait en la terre du Brésil (1578)

Chapitre xv, « Comment les Américains traitent leurs prisonniers pris en guerre, et les cérémonies qu'ils observent tant à les tuer qu'à les manger »

(modernisation par Christine Bénévent)

Tout l'enjeu de la controverse de Valladolid était de décider si les Indiens étaient ou non des hommes, et l'un des principaux critères tenait dans la possibilité ou non de les convertir au christianisme. Or le christianisme connaît dans le même temps, en Europe, une rupture décisive : la Réforme, initiée par Luther, conduit à la création de deux camps religieux opposés, catholique et protestant. Jean de Léry fait partie des réformés français, réfugiés à Genève, lorsqu'en 1556 il se joint à la petite mission envoyée par Calvin à Villegagnon, le chef de la colonie française récemment implantée au Brésil. Paradoxalement, l'attention qu'il porte au cannibalisme dans son témoignage fait signe vers un débat théologique très vif à l'époque, à propos de l'Eucharistie : comment faut-il interpréter les paroles du Christ lors de son dernier repas, lorsqu'il distribue le pain et le vin à ses disciples en disant « Ceci est mon corps ; ceci est mon sang » ? Selon les catholiques, sa présence dans le pain et le vin est réelle et corporelle : au cours de la messe, son corps et son sang sont réellement sacrifiés et ingérés par le prêtre, puis distribués aux fidèles. Selon certains réformateurs en revanche (ils ne sont pas tous d'accord entre eux), à qui ce rite sanglant fait horreur, cette présence ne peut être que symbolique : il ne faut pas confondre les vérités spirituelles avec la réalité de la chair. Si l'on pense en outre aux persé-

cutions dont ils sont alors victimes, on comprend mieux pourquoi le pire anthropophage, à leurs yeux, c'est le catholique. Les philosophes des Lumières s'en souviendront : sous des dehors parfaitement orthodoxes, l'article « Eucharistie » de l'Encyclopédie comporte, dans sa liste de renvois, le terme « anthropophagie »...

Il reste maintenant de savoir comment les prisonniers pris en guerre sont traités au pays de leurs ennemis. Incontinent[1] donc qu'ils y sont arrivés, ils sont non seulement nourris des meilleures viandes[2] qu'on peut trouver, mais aussi on baille[3] des femmes aux hommes (et non des maris aux femmes), même celui qui aura un prisonnier ne faisant point difficulté de lui bailler sa fille ou sa sœur en mariage, celle qu'il retiendra, en le bien traitant, lui administrera toutes ses nécessités. Et au surplus, combien que[4] sans aucun terme préfix[5], ains[6] selon qu'ils connaîtront les hommes bons chasseurs, ou bons pêcheurs, et les femmes propres à faire les jardins, ou à aller quérir[7] des huîtres, ils les gardent plus ou moins de temps, tant y a néanmoins qu'après[8] les avoir engraissés comme pourceaux en l'auge, ils sont finalement assommés et mangés avec les cérémonies suivantes.

Premièrement, après que tous les villages d'alentour de celui où sera le prisonnier auront été avertis du jour de

---

1. Aussitôt.
2. Aliments.
3. Donne.
4. Bien que.
5. Déterminé à l'avance.
6. Mais.
7. Chercher.
8. Toujours est-il néanmoins qu'après.

l'exécution, hommes, femmes et enfants y étant arrivés de toutes parts, ce sera à danser, boire et *caoüiner*[1] toute la matinée. Même celui qui n'ignore pas que telle assemblée se faisant à son occasion, il doit être dans peu d'heure assommé, emplumassé[2] qu'il sera, tant s'en faut qu'il en soit contristé, qu'au contraire, sautant et buvant il sera des plus joyeux. Or cependant après qu'avec les autres il aura ainsi riblé[3] et chanté six ou sept heures durant, deux ou trois des plus estimés de la troupe l'empoignant, et par le milieu du corps le liant avec des cordes de coton, ou autres faites de l'écorce d'un arbre qu'ils appellent *Yvire*, laquelle est semblable à celle du *Til*[4] de par-deçà, sans qu'il fasse aucune résistance, combien qu'on lui laisse les deux bras à délivre[5], il sera ainsi quelque peu de temps promené en trophée parmi le village. Mais pensez-vous que encore pour cela (ainsi que feraient les criminels par-deçà) il en baisse la tête ? rien moins : car au contraire, avec une audace et assurance incroyable, se vantant de ses prouesses passées, il dira à ceux qui le tiennent lié : « J'ai moi-même, vaillant que je suis, premièrement ainsi lié et garrotté vos parents » ; puis s'exaltant toujours de plus en plus, avec la contenance de même, se tournant de côté et d'autre, il dira à l'un : « J'ai mangé de ton père », à l'autre : « J'ai assommé et *boucané*[6] tes frères » ; « bref, ajoutera-t-il, j'ai en général tant mangé d'hommes et de femmes, voire des enfants de vous autres *Toüoupinambaoults*, lesquels j'ai pris en guerre, que je n'en saurais dire le nombre : et au reste, ne doutez pas que pour

---

1. Boire le caouin, boisson fermentée à base de mil ou de manioc.
2. Couvert de plumes.
3. Se sera ainsi livré à la débauche.
4. Le chanvre.
5. Libres.
6. Cuit, fumé sur le boucan, gril de bois.

venger ma mort, les *Margajas* de la nation dont je suis, n'en mangent encore ci-après autant qu'ils en pourront attraper. »

Finalement après qu'il aura ainsi été exposé à la vue d'un chacun, les deux sauvages qui le tiennent lié, s'éloignant de lui, l'un à dextre et l'autre à senestre d'environ trois brasses [1], tenant bien néanmoins chacun le bout de sa corde, laquelle est de même longueur, tirent lors [2] si fermement que le prisonnier, saisi comme j'ai dit par le milieu du corps, étant arrêté tout court, ne peut aller ni venir de côté ni d'autre. Là-dessus, on lui apporte des pierres et des tects [3] de vieux pots cassés, ou de tous les deux ensemble ; puis les deux qui tiennent les cordes, de peur d'être blessés se couvrant chacun d'une de ces rondelles faites de la peau du *Tapiroussou*, dont j'ai parlé ailleurs [4], lui disent : « Venge-toi avant que mourir » ; tellement que jetant et ruant fort et ferme contre ceux qui sont là à l'entour de lui assemblés, quelquefois en nombre de trois ou quatre mille personnes, ne demandez pas s'il y en a de marqués. Et de fait, un jour que j'étais en un village nommé *Sarigoy*, je vis un prisonnier qui de cette façon donna si grand coup de pierre contre la jambe d'une femme que je pensais qu'il lui eût rompue. Or, les pierres, et tout ce qu'en se baissant il a pu ramasser auprès de soi, jusqu'aux mottes de terre étant faillies [5], celui qui doit faire le coup ne s'étant point encore

1. L'un à droite l'autre à gauche d'environ trois longueurs de deux bras étendus.
2. Alors.
3. Tessons.
4. Léry a présenté, au chapitre x, les « animaux, venaisons, gros lézards, serpents et autres bêtes monstrueuses de l'Amérique », parmi lesquels le « tapiroussou, animal demi vache et demi âne ». Il s'agit du tapir. Les indigènes en font des boucliers.
5. Faisant défaut.

montré tout ce jour-là, sortant lors d'une maison avec
une de ces grandes épées de bois au poing, richement
décorée de beaux et excellents plumages, comme aussi
lui en a un bonnet et autres parements [1] sur son corps,
en s'approchant du prisonnier lui tient ordinairement tels
propos : « N'es-tu pas de la nation nommée *Margajas*, qui
nous est ennemie ? et n'as-tu pas toi-même tué et mangé
de nos parents et amis ? » Lui plus assuré que jamais
répond en son langage (car les *Margajas* et les *Toupinen-
quins* s'entendent) : «*Pa, che tan tan, aiouca atoupavé*»,
c'est-à-dire «Oui, je suis très fort et en ai voirement [2]
assommé et mangé plusieurs ». Puis, pour faire plus de
dépit à ses ennemis, mettant les mains sur sa tête, avec
exclamation il dit : « Ô que je ne m'y suis pas feint [3] : ô
combien j'ai été hardi à assaillir et à prendre de vos gens,
desquels j'ai tant et tant de fois mangé », et autres semblables propos qu'il ajoute. Pour cette cause aussi, lui dira
celui qu'il a là en tête tout prêt pour le massacrer : « Toi
étant maintenant en notre puissance seras présentement
tué par moi, puis *boucané* et mangé de tous nous autres. »
« Eh bien, répond-il encore (aussi résolu d'être assommé
pour sa nation, que Regulus fut constant à endurer la
mort pour sa république Romaine [4]), mes parents me ven-
geront aussi. » Sur quoi pour montrer qu'encore que ces
nations barbares craignent fort la mort naturelle, néanmoins tels prisonniers s'estimant heureux de mourir ainsi
publiquement au milieu de leurs ennemis, ne s'en soucient

---

1. Ornements.
2. Certainement.
3. Je n'ai pas hésité.
4. Fait prisonnier par les Carthaginois, ce consul romain fut envoyé
à Rome pour négocier un échange de prisonniers. Ayant dissuadé le
Sénat romain d'accepter cet échange, il retourna à Carthage, où il fut
supplicié.

nullement, j'alléguerai cet exemple. M'étant un jour inopinément trouvé en un village de la grande île, nommée *Piravijou*, où il y avait une femme prisonnière toute prête d'être tuée de cette façon, en m'approchant d'elle et pour m'accommoder à son langage, lui disant qu'elle se recommandât à *Toupan* (car *Toupan* entre eux ne veut pas dire Dieu, ains le tonnerre) et qu'elle le priât ainsi que je lui enseignerais, pour toute réponse hochant la tête et se moquant de moi, dit : « Que me bailleras-tu, et je ferai ainsi que tu dis ? » À quoi lui répliquant : « Pauvre misérable, il ne te faudra[1] tantôt plus rien en ce monde, et partant puisque tu crois l'âme immortelle (ce qu'eux tous, comme je dirai au chapitre suivant, confessent aussi), pense que c'est qu'elle deviendra après ta mort » ; mais elle, s'en riant derechef, fut assommée et mourut de cette façon.

Ainsi pour continuer ce propos après ces contestations, et le plus souvent parlant encore l'un à l'autre, celui qui est là tout prêt pour faire ce massacre, levant lors sa massue de bois[2] avec les deux mains, donne du rondeau qui est au bout de si grande force sur la tête du pauvre prisonnier, que tout ainsi que les bouchers assomment les bœufs par-deçà, j'en ai vu qui du premier coup tombaient tout raide mort, sans remuer puis après ni bras ni jambe. Vrai est qu'étant étendus par terre à cause des nerfs et du sang qui se retire, on les voit un peu formiller[3] et trembler ; mais quoi qu'il en soit, ceux qui font l'exécution frappent ordinairement si droit sur le test de la

---

1. Manquera.
2. Cette massue, dite « de Thevet » (on peut en voir une au musée de l'Homme), se termine par un disque aux bords coupants (le rondeau), qui explique qu'on la qualifie parfois d'épée. L'extrémité inférieure de la poignée était autrefois garnie de plumes.
3. Frémir, fourmiller.

tête [1], voire savent si bien choisir derrière l'oreille, que (sans qu'il en sorte guère de sang) pour leur ôter la vie ils n'y retournent pas deux fois. Aussi est-ce la façon de parler de ce pays-là, laquelle nos Français avaient jà [2] en la bouche, qu'au lieu que les soldats et autres qui querellent par-deçà disent maintenant l'un à l'autre : «Je te crèverai», de dire à celui auquel on en veut, «Je te casserai la tête».

Or sitôt que le prisonnier aura été ainsi assommé, s'il avait une femme (comme j'ai dit qu'on en donne à quelques-uns), elle se mettant auprès du corps fera quelque petit deuil. Je dis nommément petit deuil, car suivant vraiment ce qu'on dit que fait le Crocodile, assavoir [3] que ayant tué un homme il pleure auprès avant que de le manger : aussi, après que cette femme aura fait ses tels quels regrets et jeté quelques feintes larmes sur son mari mort, si elle peut ce sera la première qui en mangera. Cela fait les autres femmes, et principalement les vieilles (lesquelles, plus convoiteuses de manger de la chair humaine que les jeunes, sollicitent incessamment tous ceux qui ont des prisonniers de les faire vitement ainsi dépêcher [4]) se présentant avec de l'eau chaude qu'elles ont toute prête, frottent et échaudent de telle façon le corps mort qu'en ayant levé la première peau, elles le font aussi blanc que les cuisiniers par-deçà sauraient faire un cochon de lait prêt à rôtir.

Après cela, celui duquel il était prisonnier avec d'autres, tels, et autant qu'il lui plaira, prenant ce pauvre corps le fendront et mettront si soudainement en pièces, qu'il n'y a boucher en ce pays ici qui puisse plus tôt démembrer un mouton. Mais outre cela (ô cruauté plus que prodigieuse [5]),

---

1. Sommet du crâne.
2. Déjà.
3. À savoir, c'est-à-dire.
4. Mettre à mort.
5. Cette exclamation entre parenthèses est supprimée à partir de 1585.

tout ainsi que les veneurs[1] par-deçà après qu'ils ont pris un cerf en baillent la curée[2] aux chiens courants, aussi ces barbares afin de tant plus inciter et acharner leurs enfants, les prenant l'un après l'autre ils leur frottent le corps, bras, cuisses et jambes du sang de leurs ennemis. Au reste, depuis que les Chrétiens ont fréquenté ce pays-là, les sauvages découpent et taillent tant le corps de leurs prisonniers, que des animaux et autres viandes, avec les couteaux et ferrements qu'on leur baille. Mais auparavant, comme j'ai entendu des vieillards, ils n'avaient autre moyen de ce faire, sinon qu'avec des pierres tranchantes qu'ils accommodaient à cet usage.

[...]

Cependant je réfuterai ici l'erreur de ceux qui, comme on peut voir par leurs Cartes universelles[3], nous ont non seulement représenté et peint les sauvages de la terre du Brésil, qui sont ceux dont je parle à présent, rôtissant la chair des hommes embrochée comme nous faisons les membres des moutons et autres viandes, mais aussi ont feint[4] qu'avec de grands couperets de fer ils les coupaient sur des bancs, et en pendaient et mettaient les pièces en monstre[5], comme font les bouchers la chair de bœuf par-deçà. Tellement que ces choses n'étant non plus vraies que le conte de Rabelais touchant Panurge, qui échappa de la broche tout lardé et à demi cuit[6], il est aisé à juger que ceux qui font telles Cartes sont ignorants, lesquels n'ont jamais

---

1. Chasseurs.
2. Bas morceaux du gibier abattu, donnés en pâture aux chiens à la fin de la chasse.
3. La critique vise en particulier Sébastien Münster, auteur d'une célèbre *Cosmographie universelle* abondamment illustrée.
4. Imaginé.
5. Démonstration.
6. Rabelais, *Pantagruel*, chap. XIV, « Comment Panurge raconte la manière comment il échappa de la main des Turcs ».

eu connaissance des choses qu'ils mettent en avant. Pour confirmation de quoi j'ajouterai, qu'outre la façon que j'ai dit que les Brésiliens ont de cuire la chair de leurs prisonniers, encore que j'étais en leur pays ignoraient-ils tellement notre façon de rôtir, que comme un jour quelques miens compagnons et moi en un village faisions tourner une poule d'Inde, avec d'autres volailles, dans une broche de bois, eux se riant et moquant de nous ne voulurent jamais croire, les voyant ainsi incessamment remuer, qu'elles pussent cuire, jusqu'à ce que l'expérience leur montra du contraire.

[…] Non pas cependant, ainsi qu'on pourrait estimer, qu'ils fassent cela ayant égard à la nourriture : car combien que tous confessent cette chair humaine être merveilleusement bonne et délicate, tant y a néanmoins que, plus par vengeance que pour le goût (hormis ce que j'ai dit particulièrement des vieilles femmes qui en sont friandes), leur principale intention est qu'en poursuivant et rongeant ainsi les morts jusqu'aux os, ils donnent par ce moyen crainte et épouvantement aux vivants. […] [L]a première chose qu'ils font quand les Français les vont voir et visiter, c'est qu'en récitant leur vaillance, et par trophée leur montrant ces tects[1] ainsi décharnés, ils disent qu'ils feront de même à tous leurs ennemis. […]

Et ne se délectent pas seulement ces barbares, plus qu'en toutes autres choses, d'exterminer ainsi, tant qu'il leur est possible, la race de ceux contre lesquels ils ont guerre (car les *Margajas* font le même traitement aux *Toüoupinambaoults* quand ils les tiennent), mais aussi ils prennent un singulier plaisir de voir que les étrangers, qui leur sont alliés, fassent le semblable. Tellement que quand ils nous présentaient de cette chair humaine de leurs prisonniers pour manger, si nous en faisions refus (comme moi et beaucoup d'autres

---

1. Crânes.

des nôtres ne nous étant point, Dieu merci, oubliés jusque-là, avons toujours fait), il leur semblait par cela que nous ne leur fussions pas assez loyaux. Sur quoi, à mon grand regret, je suis contraint de réciter [1] ici, que quelques Truchements de Normandie, qui avaient demeuré huit ou neuf ans en ce pays-là, pour s'accommoder à eux, menant une vie d'athéistes [2], ne se polluaient pas seulement en toutes sortes de paillardises et vilenies parmi les femmes et les filles, dont un entre autres de mon temps avait un garçon âgé d'environ trois ans, mais aussi, surpassant les sauvages en inhumanité, j'en ai ouï qui se vantaient d'avoir tué et mangé des prisonniers.

[...]

Je pourrais encore amener quelques autres semblables exemples, touchant la cruauté des sauvages envers leurs ennemis, n'était qu'il me semble que ce que j'en ai dit est assez pour faire avoir horreur, et dresser à chacun les cheveux en la tête. Néanmoins, afin que ceux qui liront ces choses tant horribles, exercées journellement entre ces nations barbares de la terre du Brésil, pensent aussi un peu de près à ce qui se fait par-deçà parmi nous, je dirai en premier lieu sur cette matière que, si on considère à bon escient ce que font nos gros usuriers [3] (suçant le sang et la moelle, et par conséquent mangeant tous en vie, tant de veuves, orphelins et autres pauvres personnes auxquels il vaudrait mieux couper la gorge tout d'un coup, que de les

---

1. Raconter.
2. Le mot d'athéiste au XVIe siècle vise tous ceux qui s'écartent de la doctrine chrétienne — et pas seulement ceux qui ne croient pas en Dieu, comme le mot « athée » actuel.
3. L'assimilation du prêt usuraire à l'anthropophagie est, au Moyen Âge et à la Renaissance, un lieu commun antisémite (au Moyen Âge, pour des motifs religieux, seuls les Juifs étaient autorisés à pratiquer l'usure).

faire ainsi languir [1]), qu'on dira qu'ils sont encore plus cruels que les sauvages dont je parle. Voilà aussi pourquoi le Prophète [2] dit que telles gens écorchent la peau, mangent la chair, rompent et brisent les os du peuple de Dieu, comme s'ils les faisaient bouillir dans une chaudière. Davantage, si on veut venir à l'action brutale de mâcher et manger réellement (comme on parle) [3] la chair humaine, ne s'en est-il point trouvé en ces régions de par-deçà, voire même entre ceux qui portent le titre de chrétiens, tant en Italie qu'ailleurs, lesquels ne s'étant pas contentés d'avoir fait cruellement mourir leurs ennemis, n'ont pu rassasier leur courage, sinon en mangeant de leur foie et de leur cœur ? Je m'en rapporte aux histoires. Et sans aller plus loin, en la France quoi ? (Je suis Français et me fâche de le dire) durant la sanglante tragédie qui commença à Paris le 24 d'août 1572 dont je n'accuse point ceux qui n'en sont pas cause : entre autres actes horribles à raconter, qui se perpétrèrent lors par tout le Royaume, la graisse des corps humains (qui, d'une façon plus barbare et cruelle que celle des sauvages, furent massacrés dans Lyon, après être retirés [4] de la rivière de Saône) ne fut-elle pas publiquement vendue au plus offrant et dernier enchérisseur ? Les foies, cœurs, et autres parties des corps de quelques-uns ne furent-ils pas mangés par les furieux meurtriers, dont les enfers ont horreur ? Semblablement après qu'un nommé Cœur de Roi, faisant profession de la religion réformée dans la ville d'Auxerre, fut misérablement massacré, ceux qui commirent ce meurtre ne découpèrent-ils pas son cœur en pièces, l'ex-

---

1. Vivre diminué, et perdant peu à peu ses facultés.
2. Il s'agit du prophète Michée (citation de l'Ancien Testament, « Livre de Michée », 3, 3).
3. Allusion probable au débat qui a cours à l'époque sur l'Eucharistie.
4. Avoir été retirés.

posèrent en vente à ses haineux, et finalement l'ayant fait griller sur les charbons, assouvissant leur rage comme chiens mâtins[1], en mangèrent ? Il y a encore des milliers de personnes en vie, qui témoigneront de ces choses non jamais auparavant ouïes entre peuples quels qu'ils soient, et les livres qui dès longtemps en sont jà imprimés, en feront foi à la postérité[2]. Tellement que non sans cause, quelqu'un, duquel je proteste ne savoir le nom, après cette exécrable boucherie du peuple Français, reconnaissant qu'elle surpassait toutes celles dont on avait jamais ouï parler, pour l'exagérer fit ces vers suivants.

> Riez Pharaon[3],
> Achab[4], et Néron[5],
> Hérodes[6] aussi :
> Votre barbarie
> Est ensevelie
> Par ce fait ici.

Par quoi qu'on n'abhorre plus tant désormais la cruauté des sauvages anthropophages, c'est-à-dire mangeurs d'hommes : car puisqu'il y en a de tels, voire d'autant plus détestables et pires au milieu de nous, qu'eux qui, comme

---

1. Race de chiens puissants.
2. Référence à l'*Histoire ecclésiastique des églises réformées au Royaume de France* attribuée à Théodore de Bèze.
3. Nom donné au roi d'Égypte qui persécuta le peuple élu, sauvé par Moïse.
4. Roi d'Israël célèbre pour avoir élevé un temple à Baal (divinité assimilée à un faux dieu dans la Bible) et persécuté les prophètes.
5. Empereur romain connu pour sa cruauté et (entre autres) pour avoir massacré des chrétiens.
6. D'après la Bible, Hérode le Grand aurait ordonné le massacre des Innocents, meurtre de tous les enfants de moins de deux ans dans la région de Bethléem, peu après la naissance de Jésus ; son fils, envoûté par la danse de Salomé, aurait fait décapiter saint Jean-Baptiste.

il a été vu, ne se ruent que sur les nations lesquelles[1] leur sont ennemies, et ceux-ci se sont plongés au sang de leurs parents, voisins et compatriotes, il ne faut pas aller si loin qu'en leur pays, ni qu'en l'Amérique pour voir choses si monstrueuses et prodigieuses.

---

1. Qui.

MICHEL DE MONTAIGNE (1533-1592)

Essais (1580-posth.1595)

« Des coches », III, VI

(« Bibliothèque de la Pléiade » n° 14)

On met très souvent en relation les chapitres « Des cannibales » et « Des coches » parce qu'ils traiteraient l'un et l'autre
du Nouveau Monde. En fait, le développement concernant le
Nouveau Monde n'occupe que la moitié du chapitre « Des
coches », et il n'intervient qu'après un ensemble de réflexions dont
on a du mal à comprendre la logique. Le titre même est étonnant, puisqu'il semble annoncer que l'on va traiter des « coches »,
c'est-à-dire de grandes voitures tirées par des chevaux.

Or le chapitre commence par un propos général, où Montaigne explique que les auteurs, lorsqu'ils donnent une explication à tel ou tel phénomène, allèguent des « causes » diverses, et
auxquelles ils ne croient pas forcément. S'ensuivent des exemples
qui entraînent une série de digressions : d'où vient la coutume
de bénir ceux qui éternuent ? d'où vient le mal de mer ? est-ce
la crainte ? Montaigne, lui-même sujet au mal de mer, sait par
expérience que non… D'où un développement sur le courage et
la crainte, qui le conduit à évoquer un autre malaise, celui qu'il
éprouve à voyager en coche. Par association d'idées, Montaigne
en vient à souhaiter « dire ici l'infinie variété que les histoires
nous présentent de l'usage des coches, au service de la guerre ».
Puis, « laiss[ant] ces coches guerriers », il passe aux chars royaux
et impériaux, notamment dans la Rome antique. Nouvelle digres-
sion (« l'étrangeté de ces inventions me met en tête une autre

fantaisie ») : *il se met à réfléchir sur le bien-fondé de la libéralité royale, ce qui le ramène finalement aux somptueuses dépenses des empereurs romains, et surtout aux spectacles. Or, dans ces spectacles, il convient d'admirer non pas la dépense, mais « l'invention et la nouveauté », qui révèlent surtout les limites de notre connaissance. De même, c'est en raison de ces limites que nous concluons aujourd'hui à la décrépitude du monde à cause de notre propre décrépitude, tout comme Lucrèce croyait assister à la naissance du monde en raison des « nouveautés et inventions » dont il était témoin.*

C'est à la suite de la citation de Lucrèce qu'intervient le développement reproduit ci-dessous, amené, par association d'idées, par l'opposition du vieux et du jeune monde. Ce n'est que quelques lignes avant la fin que Montaigne semble revenir au sujet annoncé par le titre du chapitre : « Retombons à nos coches. » Mais c'est pour dire que, des coches, ces hommes n'en ont point !

Notre monde vient d'en trouver un autre (et qui nous répond si[1] c'est le dernier de ses frères, puisque les Démons, les Sibylles, et nous, avons ignoré celui-ci jusqu'à cette heure ?) non moins grand, plein, et membru, que lui ; toutefois si nouveau et si enfant, qu'on lui apprend encore son a, b, c. Il n'y a pas cinquante ans qu'il ne savait ni lettres, ni poids, ni mesure, ni vêtements, ni blés, ni vignes. Il était encore tout nu, au giron[2], et ne vivait que des moyens de sa mère nourrice. Si nous concluons bien de notre fin[3], et ce poète de la jeunesse de son siècle[4], cet autre monde ne

---

1. Nous garantit que.
2. Au sein.
3. Les spéculations sur la date de la fin du monde chrétien allaient bon train.
4. Renvoi aux citations de Lucrèce évoquées dans le résumé.

fera qu'entrer en lumière, quand le nôtre en sortira. L'univers tombera en paralysie[1] : l'un membre sera perclus, l'autre en vigueur. Bien crains-je que nous aurons très fort hâté sa déclinaison[2] et sa ruine, par notre contagion ; et que nous lui aurons bien cher vendu nos opinions et nos arts. C'était un monde enfant : si ne l'avons-nous pas[3] fouetté et soumis à notre discipline par l'avantage de notre valeur et forces naturelles, ni ne l'avons pratiqué[4] par notre justice et bonté, ni subjugué par notre magnanimité. La plupart de leurs réponses, et des négociations faites avec eux, témoignent qu'ils ne nous devaient rien[5] en clarté d'esprit naturelle, et en pertinence. L'épouvantable magnificence des villes de Cusco et de Mexico et, entre plusieurs choses pareilles, le jardin de ce roi, où tous les arbres, les fruits, et toutes les herbes, selon l'ordre et grandeur qu'ils ont en un jardin, étaient excellemment formés[6] en or ; comme en son cabinet, tous les animaux qui naissaient en son état et en ses mers ; et la beauté de leurs ouvrages, en pierrerie, en plume, en coton, en la peinture, montrent qu'ils ne nous cédaient non plus en l'industrie. Mais quant à la dévotion, observance des lois, bonté, libéralité, loyauté, franchise, il nous a bien servi de n'en avoir pas tant qu'eux. Ils se sont perdus par cet avantage, et vendus, et trahis eux-mêmes. Quant à la hardiesse et courage, quant à la fermeté, constance, résolution contre les douleurs et la faim, et la mort, je ne craindrais pas d'opposer les exemples que je

---

1. Au sens précis et médical du terme, la paralysie serait, d'après Ambroise Paré, « la privation du sentiment et du mouvement [...] d'un côté du corps », alors que l'apoplexie concerne le corps tout entier.
2. Son déclin.
3. Or nous ne l'avons pas.
4. Attiré.
5. Ils ne nous étaient pas inférieurs.
6. Ciselés.

trouverais parmi eux, aux plus fameux exemples anciens que nous ayons aux mémoires de notre monde par-deçà. Car, pour ceux qui les ont subjugués, qu'ils ôtent les ruses et batelages[1] de quoi ils se sont servis à les piper[2] ; et le juste étonnement qu'apportait à ces nations-là de voir arriver si inopinément des gens barbus, divers[3] en langage, religion, en forme, et en contenance ; d'un endroit du monde si éloigné, et où ils n'avaient jamais su qu'il y eût habitation quelconque ; montés sur des grands monstres inconnus ; contre ceux qui n'avaient non seulement jamais vu de cheval, mais bête quelconque, duite[4] à porter et soutenir homme ni autre charge ; garnis d'une peau luisante et dure, et d'une arme tranchante et resplendissante ; contre ceux qui, pour le miracle de la lueur d'un miroir ou d'un couteau, allaient échangeant une grande richesse en or et en perles, et qui n'avaient ni science ni matière par où, tout à loisir, ils sussent percer notre acier ; ajoutez-y les foudres et tonnerres de nos pièces et arquebuses[5], capables de troubler César même, qui l'en eût surpris autant inexpérimenté et à cette heure[6], contre des peuples nus, si ce n'est où l'invention était arrivée de quelque tissu de coton ; sans autres armes pour le plus, que d'arcs, pierres, bâtons et boucliers de bois ; des peuples surpris, sous couleur d'amitié et de bonne foi, par la curiosité de voir des choses étrangères et inconnues ; ôtez, dis-je, aux conquérants cette disparité, vous leur ôtez toute l'occasion de tant de vic-

---

1. Bouffonnerie, tromperie.
2. Tromper.
3. Différents d'eux.
4. Dressée.
5. Arme portative, dont le projectile fut à l'origine projeté par un système analogue à celui de l'arbalète, puis par l'explosion d'une charge de poudre.
6. César lui-même, si l'on pouvait aujourd'hui l'attaquer par surprise, et aussi inexpérimenté que les Indiens.

toires. Quand je regarde à cette ardeur indomptable, de quoi tant de milliers d'hommes, femmes, et enfants, se présentent et rejettent à tant de fois, aux dangers inévitables, pour la défense de leurs dieux et de leur liberté ; cette généreuse obstination de souffrir toutes extrémités et difficultés, et la mort, plus volontiers que de se soumettre à la domination de ceux de qui [1] ils ont été si honteusement abusés ; et aucuns [2], choisissant plutôt de se laisser défaillir par faim et par jeûne, étant pris, que d'accepter le vivre des mains de leurs ennemis, si vilement victorieuses : je prévois que à qui les eût attaqués pair à pair [3], et d'armes, et d'expérience, et de nombre, il y eût fait aussi dangereux, et plus, qu'en autre guerre que nous voyons. Que n'est tombée sous Alexandre, ou sous ces anciens Grecs et Romains, une si noble conquête, et une si grande mutation et altération de tant d'empires et de peuples, sous des mains qui eussent doucement poli et défriché ce qu'il y avait de sauvage, et eussent conforté et promu les bonnes semences que nature y avait produit[es], mêlant non seulement à la culture des terres, et ornement des villes, les arts de deçà, en tant qu'ils y eussent été nécessaires, mais aussi mêlant les vertus Grecques et Romaines aux originelles du pays ? Quelle réparation eût-ce été, et quel amendement à toute cette machine, que les premiers exemples et déportements [4] nôtres qui se sont présentés par-delà eussent appelé ces peuples à l'admiration et imitation de la vertu, et eussent dressé entre eux et nous une fraternelle société et intelligence ? Combien il eût été aisé de faire son profit d'âmes si neuves, si affamées d'apprentissage, ayant pour la plupart

---

1. Par qui.
2. Certains.
3. D'égal à égal.
4. Comportements.

de si beaux commencements naturels ? Au rebours, nous nous sommes servis de leur ignorance, et inexpérience, à les plier plus facilement vers la trahison, luxure, avarice, et vers toute sorte d'inhumanité et de cruauté, à l'exemple et patron de nos mœurs. Qui mit jamais à tel prix le service de la mercadence [1] et du trafic ? Tant de villes rasées, tant de nations exterminées, tant de millions de peuples passés au fil de l'épée, et la plus riche et belle partie du monde bouleversée, pour la négociation des perles et du poivre : mécaniques victoires [2]. Jamais l'ambition, jamais les inimitiés publiques ne poussèrent les hommes les uns contre les autres, à si horribles hostilités, et calamités si misérables. En côtoyant la mer à la quête de leurs mines, aucuns Espagnols prirent terre en une contrée fertile et plaisante, fort habitée, et firent à ce peuple leurs remontrances accoutumées [3] : qu'ils étaient gens paisibles, venant de lointains voyages, envoyés de la part du roi de Castille, le plus grand prince de la terre habitable, auquel le pape, représentant Dieu en terre, avait donné la principauté de toutes les Indes [4]. Que s'ils voulaient lui être tributaires, ils seraient très bénignement traités ; leur demandaient des vivres pour leur nourriture, et de l'or pour le besoin de quelque médecine [5]. Leur remontraient [6] au demeurant la créance d'un seul Dieu et la vérité de notre religion, laquelle ils leur conseillaient d'ac-

---

1. Du commerce.
2. Dignes de gens «mécaniques», de travailleurs manuels, c'est-à-dire sans noblesse.
3. C'est la procédure du *requirimiento*, sommation faite devant notaire, aux populations nouvellement rencontrées, de recevoir le christianisme et de payer tribut au roi de Castille.
4. Allusion au traité de partage des terres découvertes et à découvrir signé à Tordesillas entre le Portugal et l'Espagne en 1494.
5. D'après Lopez de Gomara, ce fut l'explication fournie par Hernán Cortés au souverain mexicain.
6. Faisaient remarquer avec autorité.

cepter, y ajoutant quelques menaces. La réponse fut telle :
que quant à être paisibles, ils n'en portaient pas la mine, s'ils
l'étaient. Quant à leur roi, puisqu'il demandait, il devait être
indigent, et nécessiteux; et celui qui lui avait fait cette distribution, [il devait être] homme aimant dissension, d'aller
donner à un tiers chose qui n'était pas sienne, pour le mettre
en débat contre les anciens possesseurs. Quant aux vivres,
qu'ils leur en fourniraient; d'or, ils en avaient peu; et que
c'était chose qu'ils mettaient en nulle estime, d'autant qu'elle
était inutile au service de leur vie, là où tout leur soin regardait seulement à la passer heureusement et plaisamment;
pourtant ce qu'ils en pourraient trouver, sauf ce qui était
employé au service de leurs dieux, qu'ils le prissent hardiment. Quant à un seul Dieu, le discours leur en avait plu;
mais qu'ils ne voulaient changer leur religion, s'en étant si
utilement servis si longtemps; et qu'ils n'avaient accoutumé
prendre conseil que de leurs amis et connaissants. Quant
aux menaces, c'était signe de faute de jugement, d'aller
menaçant ceux desquels la nature et les moyens étaient
inconnus. Ainsi qu'ils se dépêchassent promptement de vider
leur terre, car ils n'étaient pas accoutumés de prendre en
bonne part les honnêtetés et remontrances de gens armés,
et étrangers; autrement, qu'on ferait d'eux, comme de ces
autres, leur montrant les têtes d'aucuns hommes justiciés [1]
autour de leur ville. Voilà un exemple de la balbutie de cette
enfance [2]. Mais tant y a que [3], ni en ce lieu-là, ni en plusieurs
autres, où les Espagnols ne trouvèrent les marchandises
qu'ils cherchaient, ils ne firent arrêt ni entreprise, quelque
autre commodité qu'il y eût : témoins mes Cannibales [4]. Des

---

1. Exécutés.
2. Du (prétendu) balbutiement de ces enfants.
3. Toujours est-il que.
4. Ici, Montaigne renvoie explicitement à son propre texte.

deux les plus puissants [1] monarques de ce monde-là, et à l'aventure [2] de celui-ci, rois de tant de rois, les derniers qu'ils en chassèrent. Celui du Pérou, ayant été pris en une bataille, et mis à une rançon si excessive qu'elle surpasse toute créance [3], et celle-là fidèlement payée ; et avoir donné [4] par sa conversation [5] signe d'un courage franc, libéral et constant, et d'un entendement net et bien composé, il prit envie aux vainqueurs, après en avoir tiré un million trois cent vingt-cinq mille cinq cents pesants d'or, outre l'argent, et autres choses, qui ne montèrent pas moins (si que [6] leurs chevaux n'allaient plus ferrés que d'or massif), de voir encore, au prix de quelque déloyauté que ce fût, quel pouvait être le reste des trésors de ce roi, et jouir librement de ce qu'il avait resserré. On lui apposta une [7] fausse accusation et preuve : qu'il dessinait [8] de faire soulever ses provinces, pour se remettre en liberté. Sur quoi, par beau jugement de ceux mêmes qui lui avaient dressé cette trahison, on le condamna à être pendu et étranglé publiquement, lui ayant fait racheter le tourment d'être brûlé tout vif par le baptême qu'on lui donna au supplice même. Accident horrible et inouï, qu'il souffrit pourtant sans se démentir, ni de contenance, ni de parole, d'une forme et gravité vraiment royale. Et puis, pour endormir les peuples étonnés et transis de chose si étrange, on contrefit un grand deuil de sa mort, et lui ordonna-t-on des somptueuses funérailles. L'autre, roi de Mexico, ayant longtemps défendu sa ville

1. Entre les deux plus puissants.
2. Peut-être.
3. Qu'elle est incroyable.
4. Et alors qu'il avait donné.
5. Son comportement.
6. Si bien que.
7. Le chargea d'une.
8. Projetait, avait le dessein.

assiégée, et montré en ce siège tout ce que peuvent et la souffrance [1], et la persévérance, si onques prince et peuple le montrèrent, et son malheur l'ayant rendu vif [2] entre les mains des ennemis, avec capitulation [3] d'être traité en roi ; aussi ne leur fit-il rien voir en la prison, indigne de ce titre ; ne trouvant point, après cette victoire, tout l'or qu'ils s'étaient promis, quand ils eurent tout remué, et tout fouillé, ils se mirent à en chercher des nouvelles, par les plus âpres géhennes [4] de quoi ils se purent aviser, sur les prisonniers qu'ils tenaient. Mais pour n'avoir rien profité, trouvant des courages plus forts que leurs tourments, ils en vinrent enfin à telle rage, que contre leur foi [5] et contre tout droit des gens, ils condamnèrent le roi même, et l'un des principaux seigneurs de sa cour, à la géhenne, en présence l'un de l'autre. Ce seigneur se trouvant forcé de la douleur, environné de brasiers ardents, tourna sur la fin, piteusement [6], sa vue vers son maître, comme pour lui demander merci [7] de ce qu'il n'en pouvait plus. Le roi, plantant fièrement et rigoureusement les yeux sur lui, pour reproche de sa lâcheté et pusillanimité [8], lui dit seulement ces mots, d'une voix rude et ferme : « Et moi, suis-je dans un bain, suis-je pas plus à mon aise que toi ? » Celui-là soudain après succomba aux douleurs, et mourut sur la place. Le roi à demi rôti fut emporté de là, non tant par pitié (car quelle pitié toucha jamais des âmes si barbares qui, pour la douteuse information [9] de quelque vase d'or à piller, fissent griller

---

1. L'endurance.
2. Livré vivant.
3. Engagement.
4. Tortures.
5. Leurs engagements.
6. Pitoyablement.
7. Pardon, grâce.
8. Faiblesse.
9. Pour obtenir, par un interrogatoire, une information incertaine.

devant leurs yeux un homme; non qu'un roi[1], si grand, et en fortune, et en mérite) mais ce fut que sa constance rendait de plus en plus honteuse leur cruauté. Ils le pendirent depuis, ayant[2] courageusement entrepris de se délivrer par armes d'une si longue captivité et sujétion, où il fit sa fin digne d'un magnanime prince[3]. À une autre fois, ils mirent [à] brûler pour un coup, en même feu, quatre cent soixante hommes tous vifs, les quatre cents du commun peuple, les soixante des principaux seigneurs d'une province, prisonniers de guerre simplement. Nous tenons d'eux-mêmes ces narrations : car ils ne les avouent pas seulement, ils s'en vantent, et les prêchent. Serait-ce pour témoignage de leur justice, ou zèle envers la religion ! Certes ce sont voies trop diverses, et ennemies d'une si sainte fin. S'ils se fussent proposés d'étendre notre foi, ils eussent considéré que ce n'est pas en possession de terres qu'elle s'amplifie, mais en possession d'hommes. Et se fussent trop contentés des meurtres que la nécessité de la guerre apporte, sans y mêler indifféremment une boucherie, comme sur des bêtes sauvages : universelle, autant que le fer et le feu y ont pu atteindre, n'en ayant conservé, par leur dessein, qu'autant qu'ils en ont voulu faire de misérables esclaves, pour l'ouvrage et service de leurs minières[4]. Si que plusieurs des chefs ont été punis à mort, sur les lieux de leur conquête, par ordonnance des rois de Castille, justement offensés de l'horreur de leurs déportements, et quasi tous désestimés et mal-voulus[5]. Dieu a méri-

---

1. Bien plus, un roi.
2. Après qu'il avait.
3. Pour les circonstances de la mort de Cuauhtémoc, dernier roi aztèque et successeur de Moctezuma, Montaigne s'appuie sur le témoignage de Lopez de Gomara.
4. Mines.
5. Détestés. Certains des conquistadores ont effectivement été condamnés pour leurs forfaits inhumains.

toirement permis que ces grands pillages se soient absorbés par la mer en les transportant ; ou par les guerres intestines, de quoi ils se sont mangés entre eux ; et la plupart s'enterrèrent sur les lieux, sans aucun fruit de leur victoire. Quant à ce que la recette, et entre les mains d'un prince ménager, et prudent, répond si peu à l'espérance qu'on en donna à ses prédécesseurs, et à cette première abondance de richesses qu'on rencontra à l'abord de ces nouvelles terres (car encore qu'on en retire beaucoup, nous voyons que ce n'est rien, au prix de ce qui s'en devait attendre), c'est que l'usage de la monnaie était entièrement inconnu, et que par conséquent, leur or se trouva tout assemblé, n'étant en autre service que de montre, et de parade, comme un meuble réservé de père en fils par plusieurs puissants Rois, qui épuisaient toujours leurs mines pour faire ce grand monceau de vases et statues, à l'ornement de leurs palais, et de leurs temples. Au lieu que notre or est tout en emploi et en commerce. Nous le menuisons[1] et altérons en mille formes, l'épandons et dispersons. Imaginons que nos rois amoncelassent ainsi tout l'or qu'ils pourraient trouver en plusieurs siècles, et le gardassent immobile. Ceux du royaume de Mexico étaient aucunement[2] plus civilisés, et plus artistes, que n'étaient les autres nations de là. Aussi jugeaient-ils, ainsi que nous, que l'univers fût proche de sa fin : et en prirent pour signe la désolation que nous y apportâmes. Ils croyaient que l'être du monde se départ[3] en cinq âges, et en la vie de cinq soleils consécutifs, desquels les quatre avaient déjà fourni leur temps, et que celui qui leur éclairait était le cinquième. Le premier périt avec toutes les autres créatures, par universelle inondation d'eaux. Le

---

1. Mettons en pièces.
2. Sens positif : un peu.
3. Se divise.

second, par la chute du ciel sur nous, qui étouffa toute chose
vivante — auquel âge ils assignent les géants, et en firent
voir aux Espagnols des ossements, à la proportion desquels
la stature des hommes revenait à vingt paumes de hauteur.
Le troisième, par feu, qui embrasa et consuma tout. Le quatrième, par une émotion[1] d'air, et de vent, qui abattit jusqu'à plusieurs montagnes — les hommes n'en moururent
point, mais ils furent changés en magots (quelles impressions
ne souffre la lâcheté[2] de l'humaine créance !). Après la mort
de ce quatrième soleil, le monde fut vingt-cinq ans en per-
pétuelles ténèbres. Au quinzième desquels[3] furent créés un
homme et une femme, qui refirent l'humaine race. Dix ans
après, à certain de leurs jours, le soleil parut nouvellement
créé : et commence, depuis, le compte de leurs années par
ce jour-là. Le troisième jour de sa création, moururent les
dieux anciens : les nouveaux sont nés depuis du jour à la
journée. Ce qu'ils estiment de la manière que ce dernier
soleil périra, mon auteur n'en a rien appris[4]. Mais leur
nombre[5] de ce quatrième changement rencontre[6] à cette
grande conjonction des astres[7], qui produisit il y a huit cents
tant d'ans, selon que les astrologues estiment, plusieurs
grandes altérations et nouveautés au monde. Quant à la
pompe et magnificence, par où je suis entré en ce propos,
ni Grèce, ni Rome, ni Égypte, ne peuvent, soit en utilité, ou
difficulté, ou noblesse, comparer aucun de leurs ouvrages au

---

1. Un violent mouvement.
2. Quelles imaginations ne permet pas le relâchement.
3. De ces vingt-cinq ans.
4. Il s'agit toujours de Lopez de Gomara.
5. La datation.
6. Correspond.
7. On appelle « grande conjonction » la rencontre de plusieurs pla-
nètes au même point du zodiaque. Les astrologues mettaient en relation ces conjonctions astronomiques avec les événements capitaux
pour l'humanité.

chemin qui se voit au Pérou, dressé par les rois du pays, depuis la ville de Quito jusqu'à celle de Cusco (il y a trois cents lieues), droit, uni, large de vingt-cinq pas, pavé, revêtu de côté et d'autre de belles et hautes murailles, et le long de celles-ci par le dedans, deux ruisseaux pérennes[1], bordés de beaux arbres, qu'ils nomment Moly. Où ils ont trouvé des montagnes et rochers, ils les ont taillés et aplanis, et comblé les fondrières[2] de pierre et chaux. Au chef de chaque journée[3], il y a de beaux palais fournis de vivres, de vêtements, et d'armes, tant pour les voyageurs que pour les armées qui ont à y passer. En l'estimation de cet ouvrage, j'ai compté la difficulté, qui est particulièrement considérable en ce lieu-là. Ils ne bâtissaient point de moindres pierres que de dix pieds en carré ; il n'avaient autre moyen de charrier qu'à force de bras en traînant leur charge ; et pas seulement l'art d'échafauder : n'y sachant autre finesse que de hausser autant de terre contre leur bâtiment, comme il s'élève, pour l'ôter après. Retombons à nos coches. En leur place, et [en place] de toute autre voiture, ils se faisaient porter par les hommes, et sur les épaules. Ce dernier roi du Pérou, le jour qu'il fut pris, était ainsi porté sur des brancards d'or, et assis dans une chaise d'or, au milieu de sa bataille. Autant qu'on tuait de ces porteurs, pour le faire choir à bas (car on le voulait prendre vif), autant d'autres, et à l'envi, prenaient la place des morts : de façon qu'on ne le put onques abattre, quelque meurtre qu'on fît de ces gens-là, jusqu'à ce qu'un homme de cheval l'alla saisir au corps, et l'avala[4] par terre.

---

1. Qui durent toujours.
2. Trous boueux dans un terrain.
3. À chaque étape.
4. Le jeta. Informations encore trouvées chez Gomara. La capture déloyale d'Atahualpa au cours d'une entrevue avec Pizarro eut lieu en novembre 1532 à Cajamarca. D'après Gomara, c'est Pizarro lui-même qui aurait tiré l'Inca par sa robe hors de sa chaise à porteurs.

> **WILLIAM SHAKESPEARE (1564-1616)**
>
> *La Tempête* (1611)
>
> adaptée par **AIMÉ CÉSAIRE (1913-2008)**
>
> *Une tempête* (1969)
>
> Acte I, Scène II
>
> (Seuil)

William Shakespeare avait huit ans lorsque fut perpétré le massacre de la Saint-Barthélemy. Écrite en 1611, La Tempête est l'une de ses dernières pièces.

Victime d'une usurpation commise par son frère, Prospero, ancien duc de Milan et magicien, se retrouve dans une île sur laquelle il parviendra à attirer, par le sortilège d'un faux naufrage, l'usurpateur et son entourage. À son service se trouvent deux êtres surnaturels : Ariel, « génie aérien », et Caliban, « sauvage abject et difforme ».

Le poète antillais Aimé Césaire en a proposé une « adaptation pour un théâtre nègre », qui fait de Prospero le maître blanc, de Caliban l'esclave noir et d'Ariel un esclave mulâtre : les rapports entre les trois personnages prennent alors un relief inattendu.

Entre Ariel.

PROSPERO : Alors, Ariel ?

ARIEL : Mission accomplie.

PROSPERO : Bravo ! Du beau travail ! Mais qu'est-ce qui t'arrive ? Je te complimente et tu n'as pas l'air content. Fatigué ?

ARIEL : Fatigué non pas, mais dégoûté. Je vous ai obéi, mais pourquoi le cacher, la mort au cœur. C'était pitié de voir sombrer ce grand vaisseau plein de vie.

PROSPERO : Allons bon! Ta crise! C'est toujours comme ça avec les intellectuels!... Et puis zut! Ce qui m'intéresse, ce ne sont pas tes transes, mais tes œuvres. Partageons : je prends pour moi ton zèle et te laisse tes doutes. D'accord?

ARIEL : Maître, je vous demande de me décharger de ce genre d'emploi.

PROSPERO, *criant* : Écoute une fois pour toutes. J'ai une œuvre à faire, et je ne regarderai pas aux moyens!

ARIEL : Vous m'avez mille fois promis ma liberté et je l'attends encore.

PROSPERO : Ingrat, qui t'a délivré de Sycorax? Qui fit bâiller le pin où tu étais enfermé et te délivra?

ARIEL : Parfois je me prends à le regretter... Après tout j'aurais peut-être fini par devenir arbre... Arbre, un des mots qui m'exaltent! J'y ai pensé souvent : Palmier! Fusant très haut une nonchalance où nage une élégance de poulpe. Baobab! Douceur d'entrailles des monstres! Demande-le plutôt à l'oiseau calao [1] qui s'y claustre [2] une saison. Ceiba [3]! Éployé au soleil fier! Oiseau! Les serres plantées dans le vif de la terre!

PROSPERO : Écrase! Je n'aime pas les arbres à paroles. Quant à ta liberté, tu l'auras, mais à mon heure. En attendant, occupe-toi du vaisseau. Moi, je vais toucher deux mots au sieur Caliban. Celui-là, je l'ai à l'œil, il s'émancipe un peu trop. (*Il appelle :*) ... Caliban! Caliban!

Il soupire.
Caliban entre.

CALIBAN : Uhuru!

PROSPERO : Qu'est-ce que tu dis?

---

1. Oiseau exotique et coloré au gros bec et qui semble porter un casque.
2. Enferme.
3. Arbre exotique.

CALIBAN : Je dis Uhuru!

PROSPERO : Encore une remontée de ton langage barbare. Je t'ai déjà dit que je n'aime pas ça. D'ailleurs, tu pourrais être poli, un bonjour ne te tuerait pas!

CALIBAN : Ah! J'oubliais… Bonjour. Mais un bonjour autant que possible de guêpes, de crapauds, de pustules et de fiente. Puisse le jour d'aujourd'hui hâter de dix ans le jour où les oiseaux du ciel et les bêtes de la terre se rassasieront de ta charogne!

PROSPERO : Toujours gracieux je vois, vilain singe! Comment peut-on être si laid!

CALIBAN : Tu me trouves laid, mais moi je ne te trouve pas beau du tout! Avec ton nez crochu, tu ressembles à un vieux vautour. (*Il rit.*) Un vieux vautour au cou pelé!

PROSPERO : Puisque tu manies si bien l'invective, tu pourrais au moins me bénir de t'avoir appris à parler. Un barbare! Une bête brute que j'ai éduquée, formée, que j'ai tirée de l'animalité qui l'engangue[1] encore de toute part!

CALIBAN : D'abord ce n'est pas vrai. Tu ne m'as rien appris du tout. Sauf, bien sûr, à baragouiner ton langage pour comprendre tes ordres : couper du bois, laver la vaisselle, pêcher le poisson, planter les légumes, parce que tu es bien trop fainéant pour le faire. Quant à ta science, est-ce que tu me l'as jamais apprise, toi? Tu t'en es bien gardé! Ta science, tu la gardes égoïstement pour toi tout seul, enfermée dans les gros livres que voilà.

PROSPERO : Sans moi, que serais-tu?

CALIBAN : Sans toi? Mais tout simplement le roi! Le roi de l'île! Le roi de mon île, que je tiens de Sycorax, ma mère.

PROSPERO : Il y a des généalogies dont il vaut mieux ne

---

1. Entoure comme d'une gangue.

pas se vanter. Une goule[1]! Une sorcière dont, Dieu merci, la mort nous a délivrés!

CALIBAN : Morte ou vivante, c'est ma mère et je ne la renierai pas! D'ailleurs, tu ne la crois morte que parce que tu crois que la terre est chose morte… C'est tellement plus commode! Morte, alors on la piétine, on la souille, on la foule d'un pied vainqueur! Moi, je la respecte, car je sais qu'elle vit, et que vit Sycorax.

Sycorax ma mère!

Serpent! Pluie! Éclairs!

Et je te retrouve partout

Dans l'œil de la mare qui me regarde, sans ciller,

à travers les scirpes[2].

Dans le geste de la racine tordue et son bond qui attend.

Dans la nuit, la toute-voyante aveugle,

la toute-flaireuse sans naseaux!

… D'ailleurs souvent par le rêve elle me parle et m'avertit… Tiens, hier encore, lorsque je me voyais à plat ventre sur le bord du marigot[3], lapant une eau fangeuse, et que la Bête s'apprêtait à m'assaillir, un bloc de rocher à la main.

PROSPERO : En tout cas, si tu continues, ta sorcellerie ne te mettra pas à l'abri du châtiment.

CALIBAN : C'est ça! Au début, Monsieur me cajolait : Mon cher Caliban par-ci, mon petit Caliban par-là! Dame! Qu'aurais-tu fait sans moi, dans cette contrée inconnue? Ingrat! Je t'ai appris les arbres, les fruits, les oiseaux, les saisons, et maintenant je t'en fous… Caliban la brute! Caliban l'esclave! Recette connue! l'orange pressée, on en rejette l'écorce!

---

1. Vampire femelle.
2. Sorte de jonc qui pousse dans les marécages.
3. En Afrique, tout point d'eau alimenté par les pluies ou des nappes souterraines.

PROSPERO : Oh !

CALIBAN : Je mens, peut-être ? C'est pas vrai que tu m'as fichu à la porte de chez toi et que tu m'as logé dans une grotte infecte ? Le ghetto, quoi !

PROSPERO : Le ghetto, c'est vite dit ! Elle serait moins «ghetto» si tu te donnais la peine de la tenir propre ! Et puis il y a une chose que tu as oublié de dire, c'est que c'est ta lubricité qui m'a obligé de t'éloigner. Dame ! Tu as essayé de violer ma fille !

CALIBAN : Violer ! violer ! Dis donc, vieux bouc, tu me prêtes tes idées libidineuses. Sache-le : je n'ai que faire de ta fille, ni de ta grotte, d'ailleurs. Au fond, si je rouspète, c'est pour le principe, car ça ne me plaisait pas du tout de vivre à côté de toi : tu pues des pieds !

PROSPERO : Mais je ne t'ai pas appelé pour discuter ! Ouste ! Au travail ! Du bois, de l'eau, en quantité ! Je reçois du monde aujourd'hui.

CALIBAN : Je commence à en avoir marre ! Du bois, il y en a un tas haut comme ça !

PROSPERO : Caliban, j'en ai assez ! Attention ! Si tu rouspètes, la trique ! Et si tu lanternes, ou fais grève, ou sabotes, la trique ! La trique, c'est le seul langage que tu comprennes ; eh bien, tant pis pour toi, je te le parlerai haut et clair. Dépêche-toi !

CALIBAN : Bon ! J'y vais… mais pour la dernière fois. La dernière, tu entends ! Ah ! j'oubliais… j'ai quelque chose d'important à te dire.

PROSPERO : D'important ? Alors, vite, accouche.

CALIBAN : Eh bien, voilà : j'ai décidé que je ne serai plus Caliban.

PROSPERO : Qu'est-ce que cette foutaise ? Je ne comprends pas !

CALIBAN : Si tu veux, je te dis que désormais je ne répondrai plus au nom de Caliban.

PROSPERO : D'où ça t'est venu ?

CALIBAN : Eh bien, y a que Caliban n'est pas mon nom. C'est simple !

PROSPERO : C'est le mien peut-être !

CALIBAN : C'est le sobriquet dont ta haine m'a affublé et dont chaque rappel m'insulte.

PROSPERO : Diable ! On devient susceptible ! Alors propose... Il faut bien que je t'appelle ! Ce sera comment ? *Cannibale* t'irait bien, mais je suis sûr que tu n'en voudras pas ! Voyons, Hannibal ! Ça te va ! Pourquoi pas ! Ils aiment tous les noms historiques !

CALIBAN : Appelle-moi X. Ça vaudra mieux. Comme qui dirait l'homme sans nom. Plus exactement, l'homme dont on a *volé* le nom. Tu parles d'histoire. Eh bien ça, c'est de l'histoire, et fameuse ! Chaque fois que tu m'appelleras, ça me rappellera le fait fondamental, que tu m'as tout volé et jusqu'à mon identité ! Uhuru !

Il se retire.

FONTENELLE (1657-1757)

Entretiens sur la pluralité des mondes (1686)

« Que la Lune est une terre habitée »

(modernisation par Christine Bénévent)

Ailleurs, la découverte inattendue du Nouveau Monde fait rêver à d'autres mondes, plus lointains encore. Il faut dire aussi que Copernic et Galilée sont passés par là...

L'interlocuteur des Entretiens sur la pluralité des mondes retrouve chaque soir une charmante marquise, avec laquelle il discute, précisément, de la « pluralité des mondes habités ». Il se sert du modèle fourni par le Nouveau Monde pour rêver à des mondes extraterrestres, à commencer par la Lune (les textes sont extraits du second soir, « Que la Lune est une terre habitée »).

Dans l'extrait qui suit, le narrateur vient d'expliquer le fonctionnement des éclipses par la position respective de la Lune, de la Terre et du Soleil. C'est l'occasion d'un tour du monde des superstitions liées aux éclipses.

Je suis fort étonnée, dit la marquise, qu'il y ait si peu de mystère aux éclipses, et que tout le monde n'en devine pas la cause. Ah ! vraiment, répondis-je, il y a bien des peuples qui de la manière dont ils s'y prennent, ne la devineront encore de longtemps. Dans toutes les Indes orientales on croit que quand le Soleil et la Lune s'éclipsent, c'est qu'un certain démon qui a les griffes fort noires, les étend sur ces astres dont il veut se saisir, et vous voyez pendant ces temps-là les rivières couvertes de têtes d'Indiens qui se sont mis dans l'eau jusqu'au cou, parce que c'est une situation très dévote, selon eux, et très propre à obtenir du Soleil et de la Lune qu'ils se défendent bien contre le démon. En Amérique, on était persuadé que le Soleil et la Lune étaient fâchés quand ils s'éclipsaient, et Dieu sait ce qu'on ne faisait pas pour se raccommoder avec eux. Mais les Grecs qui étaient si raffinés, n'ont-ils pas cru longtemps que la Lune était ensorcelée, et que des magiciennes la faisaient descendre du ciel pour jeter sur les herbes une certaine écume malfaisante? Mais nous, n'eûmes-nous pas belle peur il n'y a guère plus de trente ans, à une certaine éclipse de Soleil qui arriva? Une infinité de gens ne se tinrent-ils pas enfermés dans des caves, et les philosophes qui écrivirent pour nous rassurer, n'écrivirent-ils pas en vain?

En vérité, reprit-elle, tout cela est trop honteux pour les hommes, il devrait y avoir un arrêt du genre humain qui défendît qu'on parlât jamais d'éclipse, de peur que l'on ne conserve la mémoire des sottises qui ont été faites ou dites sur ce chapitre-là. Il faudrait donc, répliquai-je, que le même arrêt abolît la mémoire de toutes choses, et défendît qu'on parlât jamais de rien, car je ne sache rien au monde qui ne soit le monument de quelque sottise des hommes.

Dites-moi, je vous prie, une chose, dit la marquise. Ont-ils autant de peur des éclipses dans la Lune, que nous en avons ici? Il me paraîtrait tout à fait burlesque que les Indiens de ce pays-là se missent à l'eau comme les nôtres, que les Américains crussent notre Terre fâchée contre eux, que les Grecs s'imaginassent que nous fussions ensorcelés, et que nous allassions gâter leurs herbes, et qu'enfin nous leur rendissions la consternation qu'ils causent ici-bas. Je n'en doute nullement, répondis-je. Je voudrais bien savoir pourquoi Messieurs de la Lune auraient l'esprit plus fort que nous.

De quel droit nous feront-ils peur sans que nous leur en fassions ? Je croirais même, ajoutai-je en riant, que comme un nombre prodigieux d'hommes ont été assez fous, et le sont encore assez pour adorer la Lune, il y a des gens dans la Lune qui adorent aussi la Terre, et que nous sommes à genoux les uns devant les autres. Après cela, dit-elle, nous pouvons bien prétendre à envoyer des influences à la Lune, et à donner des crises à ses malades [1], mais comme il ne faut qu'un peu d'esprit et d'habileté dans les gens de ce pays-là, pour détruire tous ces honneurs dont nous nous flattons, j'avoue que je crains toujours que nous n'ayons quelque désavantage.

Ne craignez rien, répondis-je, il n'y a pas d'apparence que nous soyons la seule sotte espèce de l'univers. L'ignorance est quelque chose de bien propre à être généralement répandu [...].

À la fin de cette même soirée, face à une marquise sceptique, le narrateur tente de justifier la façon dont il imagine les êtres peuplant la Lune par un parallèle avec l'Amérique.

Remettez-vous dans l'esprit l'état où était l'Amérique avant qu'elle eût été découverte par Christophe Colomb. Ses habitants vivaient dans une ignorance extrême. Loin de connaître les sciences, ils ne connaissaient pas les arts les plus simples, et les plus nécessaires. Ils allaient nus, ils n'avaient point d'autres armes que l'arc, ils n'avaient jamais conçu que des hommes pussent être portés par des animaux ; ils regardaient la mer comme un grand espace défendu aux hommes, qui se joignait au ciel, et au-delà duquel il n'y avait rien. Il est vrai qu'après avoir passé des années entières à creuser le tronc d'un gros arbre avec des

---

1. Les « lunatiques » étaient considérés comme fous.

pierres tranchantes, ils se mettaient sur mer dans ce tronc, et allaient terre à terre portés par le vent et par les flots. Mais comme ce vaisseau était sujet à être souvent renversé, il fallait qu'ils se missent aussitôt à la nage pour le rattraper, et à proprement parler, ils nageaient toujours, hormis le temps qu'ils s'y délassaient. Qui leur eût dit qu'il y avait une sorte de navigation incomparablement plus parfaite, qu'on pouvait traverser cette étendue infinie d'eaux de tel côté et de tel sens qu'on voulait, qu'on s'y pouvait arrêter sans mouvement au milieu des flots émus, qu'on était maître de la vitesse avec laquelle on allait, qu'enfin cette mer quelque vaste qu'elle fût, n'était point un obstacle à la communication des peuples, pourvu seulement qu'il y eût des peuples au-delà, vous pouvez compter qu'ils ne l'eussent jamais cru. Cependant voilà un beau jour le spectacle du monde le plus étrange et le moins attendu qui se présente à eux. De grands corps énormes qui paraissent avoir des ailes blanches, qui volent sur la mer, qui vomissent du feu de toutes parts, et qui viennent jeter sur le rivage des gens inconnus tout écaillés de fer, disposant comme ils veulent de monstres qui courent sous eux, et tenant en leur main des foudres dont ils terrassent tout ce qui leur résiste. D'où sont-ils venus ? Qui a pu les amener par-dessus les mers ? Qui a mis le feu en leur disposition ? Sont-ce des dieux ? Sont-ce les enfants du Soleil ? Car assurément ce ne sont pas des hommes. Je ne sais, madame, si vous entrez comme moi, dans la surprise des Américains, mais jamais il n'en peut avoir été une pareille. Après cela, je ne veux plus jurer qu'il ne puisse y avoir commerce quelque jour entre la Lune et la Terre. Les Américains eussent-ils cru qu'il y en eût dû avoir entre l'Amérique et l'Europe qu'ils ne connaissaient seulement pas ? Il est vrai qu'il faudra traverser ce grand espace d'air et de ciel qui est entre la Terre et la Lune ; mais ces grandes mers paraissaient-elles aux Américains plus propres à être traversées ? En vérité, dit la marquise en me regardant, vous êtes fou. Qui vous dit le contraire, répondis-je ? Mais je veux vous le prouver, reprit-elle, je ne me contente pas de l'aveu que vous en faites. Les Américains étaient si ignorants, qu'ils n'avaient garde de soupçonner qu'on pût se faire des chemins au travers des mers si vastes ; mais nous qui avons tant de connaissances, nous nous figurerions bien qu'on pût aller par les airs, si l'on pouvait effectivement y aller.

CYRANO DE BERGERAC (1619-1655)

L'Autre Monde ou les États et Empires de la Lune (v. 1650)

Si le philosophe de Fontenelle se contente de spéculations, d'autres n'hésitent pas à se rendre sur la Lune par le jeu de la fiction. La narration est prétexte à décrire une utopie, un monde renversé : les êtres que rencontre le héros de Cyrano de Berge-rac ne ressemblent en rien aux extraterrestres de notre science-fiction ; ce sont indubitablement des hommes, voire, plus exactement, des surhommes.

Ayant quitté la Terre par un moyen rocambolesque, le narra-teur atterrit... au Paradis terrestre, et y rencontre Élie, puis Énoch, choqués par ses propos libertins. Chemin faisant, il mord par erreur dans la pomme cueillie sur l'arbre de science : si le fruit donne la sagesse, il est entouré d'une dangereuse écorce «de laquelle si vous tâtez vous descendrez au-dessous de l'homme».

J'en avais à peine goûté qu'une épaisse nuit tomba sur mon âme : je ne vis plus ma pomme, plus d'Élie[1] auprès de moi, et mes yeux ne reconnurent pas en toute l'hémisphère une seule trace du Paradis terrestre, et avec tout cela je ne lais-sais pas de me souvenir de tout ce qui m'y était arrivé. Quand

---

1. Élie est un important prophète, aussi bien pour le judaïsme et le christianisme que pour l'islam.

depuis j'ai fait réflexion sur ce miracle, je me suis figuré que cette écorce ne m'avait pas tout à fait abruti, à cause que mes dents la traversèrent et se sentirent un peu du jus de dedans, dont l'énergie avait dissipé les malignités de la pelure.

Je restai bien surpris de me voir tout seul au milieu d'un pays que je ne connaissais point. J'avais beau promener mes yeux, et les jeter par la campagne, aucune créature ne s'offrait pour les consoler. Enfin je résolus de marcher, jusqu'à ce que la Fortune me fît rencontrer la compagnie de quelque bête ou de la mort.

Elle m'exauça car au bout d'un demi-quart de lieue je rencontrai deux fort grands animaux, dont l'un s'arrêta devant moi, l'autre s'enfuit légèrement au gîte [1] (au moins, je le pensai ainsi à cause qu'à quelque temps de là je le vis revenir accompagné de plus de sept ou huit cents de même espèce qui m'environnèrent). Quand je les pus discerner de près, je connus qu'ils avaient la taille, la figure et le visage comme nous. Cette aventure me fit souvenir de ce que jadis j'avais ouï conter à ma nourrice, des sirènes, des faunes et des satyres. De temps en temps ils élevaient des huées si furieuses, causées sans doute par l'admiration de me voir, que je croyais quasi être devenu monstre.

Une de ces bêtes-hommes m'ayant saisi par le col, de même que font les loups quand ils enlèvent une brebis, me jeta sur son dos, et me mena dans leur ville. Je fus bien étonné, lorsque je reconnus en effet que c'étaient des hommes, de n'en rencontrer pas un qui ne marchât à quatre pattes.

Quand ce peuple me vit passer, me voyant si petit (car la plupart d'entre eux ont douze coudées [2] de longueur), et

---

1. Endroit où l'on réside.
2. Mesure de longueur approximative, représentant la distance du coude à l'extrémité des doigts, soit 50 centimètres environ. Ces êtres mesureraient donc dans les 6 mètres.

mon corps soutenu sur deux pieds seulement, ils ne purent croire que je fusse un homme, car ils tenaient, eux autres, que, la nature ayant donné aux hommes comme aux bêtes deux jambes et deux bras, ils s'en devaient servir comme eux. Et en effet, rêvant depuis sur ce sujet, j'ai songé que cette situation de corps n'était point trop extravagante, quand je me suis souvenu que nos enfants, lorsqu'ils ne sont encore instruits que de nature, marchent à quatre pieds, et ne s'élèvent sur deux que par le soin de leurs nourrices qui les dressent dans de petits chariots, et leur attachent des lanières pour les empêcher de tomber sur les quatre, comme la seule assiette ou la figure de notre masse incline de se reposer.

Ils disaient donc (à ce que je me suis fait depuis interpréter) qu'infailliblement j'étais la femelle du petit animal de la reine. Ainsi je fus en qualité de telle ou d'autre chose mené droit à l'hôtel de ville, où je remarquai, selon le bourdonnement et les postures que faisaient et le peuple et les magistrats, qu'ils consultaient ensemble ce que je pouvais être. Quand ils eurent longtemps conféré, un certain bourgeois qui gardait les bêtes rares supplia les échevins[1] de me prêter à lui, en attendant que la reine m'envoyât quérir pour vivre avec mon mâle.

On n'en fit aucune difficulté. Ce bateleur[2] me porta en son logis, il m'instruisit à faire le godenot[3], à passer des culbutes, à figurer des grimaces ; et les après-dînées faisait prendre à la porte de l'argent pour me montrer. Enfin le ciel, fléchi de mes douleurs et fâché de voir profaner le

---

1. Magistrats.
2. Personne exécutant des tours d'adresse ou de force dans les foires ou sur les places publiques.
3. Figurine dont se servaient les escamoteurs pour amuser les spectateurs, d'où amuseur, singe.

temple de son maître, voulut qu'un jour, comme j'étais attaché au bout d'une corde, avec laquelle le charlatan me faisait sauter pour divertir le badaud, un de ceux qui me
regardaient, après m'avoir considéré fort attentivement, me
demanda en grec qui j'étais. Je fus bien étonné d'entendre
là parler comme en notre monde. Il m'interrogea quelque
temps ; je lui répondis, et lui contai ensuite généralement
toute l'entreprise et le succès de mon voyage. Il me consola,
et je me souviens qu'il me dit :

— Eh bien ! mon fils, vous portez enfin la peine des fai-
blesses de votre monde. Il y a du vulgaire ici comme là qui
ne peut souffrir la pensée des choses où il n'est point accoutumé. Mais sachez qu'on ne vous traite qu'à la pareille, et
que si quelqu'un de cette terre avait monté dans la vôtre,
avec la hardiesse de se dire homme, vos docteurs le feraient
étouffer comme un monstre ou comme un singe possédé
du Diable.

[...]

Cet entretien n'empêchait pas que nous ne continuas-
sions de marcher, c'est-à-dire mon porteur[1] à quatre pattes
sous moi et moi à califourchon sur lui. Je ne particularise-
rai point davantage les aventures qui nous arrêtèrent sur le
chemin, tant y a que[2] nous arrivâmes enfin où le roi fait sa
résidence. Je fus mené droit au palais. Les grands me reçu-
rent avec des admirations plus modérées que n'avait fait le
peuple quand j'étais passé dans les rues. Leur conclusion
néanmoins fut semblable, à savoir que j'étais sans doute la
femelle du petit animal de la reine. Mon guide me l'inter-
prétait ainsi ; et cependant lui-même n'entendait point cette
énigme, et ne savait qui était ce petit animal de la reine ;
mais nous en fûmes bientôt éclaircis, car le roi, quelque

---

1. Celui qui lui a parlé en grec.
2. Toujours est-il que.

temps après, commanda qu'on l'amenât. À une demi-heure de là je vis entrer, au milieu d'une troupe de singes qui portaient la fraise[1] et le haut-de-chausses[2] un petit homme bâti presque tout comme moi, car il marchait à deux pieds ; sitôt qu'il m'aperçut, il m'aborda par un *criado de nuestra mercede*[3]. Je lui ripostai sa révérence à peu près en mêmes termes. Mais, hélas ils ne nous eurent pas plutôt vus parler ensemble qu'ils crurent tous le préjugé véritable ; et cette conjoncture n'avait garde de produire un autre succès, car celui de tous les assistants qui opinait pour nous avec plus de faveur protestait que notre entretien était un grognement que la joie d'être rejoints par un instinct naturel nous faisait bourdonner.

Ce petit homme me conta qu'il était européen, natif de la Vieille Castille, qu'il avait trouvé moyen avec des oiseaux de se faire porter jusqu'au monde de la Lune où nous étions à présent ; qu'étant tombé entre les mains de la reine, elle l'avait pris pour un singe, à cause qu'ils habillent, par hasard, en ce pays-là, les singes à l'espagnole, et que, l'ayant à son arrivée trouvé vêtu de cette façon, elle n'avait point douté qu'il ne fût de l'espèce.

— Il faut bien dire, lui répliquai-je, qu'après leur avoir essayé toutes sortes d'habits, ils n'en ont point rencontré de plus ridicule et que c'était pour cela qu'ils les équipent de la sorte, n'entretenant ces animaux que pour se donner du plaisir.

— Ce n'est pas connaître, dit-il, la dignité de notre nation en faveur de qui l'univers ne produit des hommes

---

1. Collerette de lingerie tournant autour du cou, portée aussi bien par les hommes que par les femmes aux XVIe et XVIIe siècles.
2. Partie de l'habillement masculin allant de la ceinture aux genoux.
3. Ancienne formule de salutation espagnole, équivalant à quelque chose comme «votre grâce».

que pour nous donner des esclaves, et pour qui la nature ne saurait engendrer que des matières de rire.

Il me supplia ensuite de lui apprendre comment je m'étais osé hasarder de gravir à la Lune avec la machine dont je lui avais parlé ; je lui répondis que c'était à cause qu'il avait emmené les oiseaux sur lesquels j'y pensais aller. Il sourit de cette raillerie, et environ un quart d'heure après le roi commanda aux gardeurs de singes de nous ramener, avec ordre exprès de nous faire coucher ensemble, l'Espagnol et moi, pour faire en son royaume multiplier notre espèce. On exécuta de point en point la volonté du prince, de quoi je fus très aise pour le plaisir que je recevais d'avoir quelqu'un qui m'entretînt pendant la solitude de ma brutification. Un jour, mon mâle (car on me tenait pour la femelle) me conta que ce qui l'avait véritablement obligé de courir toute la terre, et enfin de l'abandonner pour la Lune, était qu'il n'avait pu trouver un seul pays où l'imagination même fût en liberté.

DENIS DIDEROT (1713-1784)

Supplément au Voyage de Bougainville (1778)

Chapitre II, « Les adieux du vieillard »

*On le voit ici : le monde de l'autre est prétexte à un renverse-
ment du point de vue. Inutile de se rendre sur la Lune : il suffit d'envisager la vieille Europe du point de vue du sauvage. À
la fois proches et différents de l'histoire mise en scène par Daniel
Defoe dans* Robinson Crusoé *(1719), les* Dialogues curieux
entre l'auteur et un sauvage de bon sens *(1703), du baron
de La Hontan, sont souvent considérés comme la source du
« mythe du bon sauvage » qui s'épanouit au XVIIIe siècle, fasciné
par les Nouveaux Mondes. Ce mythe trouve l'une de ses for-
mulations les plus nettes dans le célèbre* Supplément au
Voyage de Bougainville, *de Diderot, dans lequel les adieux du
vieillard tahitien constituent un morceau de bravoure rhétorique.*

« Pleurez, malheureux Otaïtiens [1], pleurez ; mais que ce
soit de l'arrivée et non du départ de ces hommes ambitieux
et méchants. Un jour vous les connaîtrez mieux. Un jour ils
reviendront, le morceau de bois que vous voyez attaché à
la ceinture de celui-ci dans une main, et le fer qui pend au
côté de celui-là dans l'autre [2], vous enchaîner, vous égorger

---

1. Forme concurrente de « Tahitiens ».
2. La croix à la ceinture du prêtre et l'épée à celle de Bougainville.

ou vous assujettir à leurs extravagances et à leurs vices. Un jour vous servirez sous eux, aussi corrompus, aussi vils, aussi malheureux qu'eux. Mais je me console, je touche à la fin de ma carrière[1], et la calamité que je vous annonce, je ne la verrai point. Ô Otaïtiens, ô mes amis, vous auriez un moyen d'échapper à un funeste avenir, mais j'aimerais mieux mourir que de vous en donner le conseil. Qu'ils s'éloignent et qu'ils vivent. »

Puis s'adressant à Bougainville[2], il ajouta :

« Et toi, chef des brigands qui t'obéissent, écarte promptement ton vaisseau de notre rive. Nous sommes innocents, nous sommes heureux, et tu ne peux que nuire à notre bonheur. Nous suivons le pur instinct de la nature, et tu as tenté d'effacer de nos âmes son caractère. Ici tout est à tous, et tu nous as prêché je ne sais quelle distinction du *tien* et du *mien*. Nos filles et nos femmes nous sont communes, tu as partagé ce privilège avec nous, et tu es venu allumer en elles des fureurs inconnues. Elles sont devenues folles dans tes bras, tu es devenu féroce entre les leurs ; elles ont commencé à se haïr ; vous vous êtes égorgés pour elles, et elles nous sont revenues teintes de votre sang. Nous sommes libres, et voilà que tu as enfoui dans notre terre le titre de notre futur esclavage[3]. Tu n'es ni un dieu ni un démon, qui es-tu donc pour faire des esclaves ? Orou, toi qui entends la langue de ces hommes-là, dis-nous à tous,

---

1. Vie.

2. Bougainville (1729-1811) a effectué son voyage autour du monde de novembre 1766 à mars 1769, où il a rejoint Saint-Malo avec un Tahitien à son bord. Le récit de son voyage a été publié en mai 1771.

3. « J'enfouis près du hangar un acte de prise de possession inscrit sur une planche de chêne avec une bouteille bien fermée et lutée [*i.e.* scellée] contenant les noms des officiers des deux navires » (*Voyage de Bougainville*).

comme tu me l'as dit à moi-même, ce qu'ils ont écrit sur cette lame de métal : *Ce pays est à nous*. Ce pays est à toi ! et pourquoi ? Parce que tu y as mis le pied ! Si un Otaïtien débarquait un jour sur vos côtes, et qu'il gravât sur une de vos pierres ou sur l'écorce d'un de vos arbres : *Ce pays est aux habitants d'Otaïti*, qu'en penserais-tu ? Tu es le plus fort, et qu'est-ce que cela fait ? Lorsqu'on t'a enlevé une des méprisables bagatelles dont ton bâtiment est rempli, tu t'es récrié, tu t'es vengé, et dans le même instant tu as projeté au fond de ton cœur le vol de toute une contrée ! Tu n'es pas esclave, tu souffrirais plutôt la mort que de l'être, et tu veux nous asservir ! Tu crois donc que l'Otaïtien ne sait pas défendre sa liberté et mourir ? Celui dont tu veux t'emparer comme de la brute, l'Otaïtien est ton frère. Vous êtes deux enfants de la nature ; quel droit as-tu sur lui qu'il n'ait pas sur toi ? Tu es venu, nous sommes-nous jetés sur ta personne ? Avons-nous pillé ton vaisseau ? T'avons-nous saisi et exposé aux flèches de nos ennemis ? T'avons-nous associé dans nos champs au travail de nos animaux ? Nous avons respecté notre image en toi. Laisse-nous nos mœurs, elles sont plus sages et plus honnêtes que les tiennes. Nous ne voulons point troquer ce que tu appelles notre ignorance contre tes inutiles lumières. »

JEAN-JACQUES ROUSSEAU (1712-1778)

*Discours sur les fondements et l'origine
de l'inégalité parmi les hommes* (1755)

L'approche de Rousseau dans le Discours sur les fondements et l'origine de l'inégalité parmi les hommes est très
différente de celle de Diderot, comme le souligne Claude Lévi-
Strauss, dans Tristes Tropiques :

« Jamais Rousseau n'a commis l'erreur de Diderot qui consiste
à idéaliser l'homme naturel. [...] L'étude de ces sauvages
apporte autre chose que la révélation d'un état de nature uto-
pique, ou la découverte de la société parfaite au cœur des forêts ;
elle nous aide à bâtir un modèle théorique de la société humaine,
qui ne correspond à aucune réalité observable, mais à l'aide
duquel nous parviendrons à démêler "ce qu'il y a d'originaire et
d'artificiel dans la nature actuelle de l'homme et à bien connaître
un état qui n'existe plus, qui peut-être n'a point existé, qui probablement n'existera jamais, et dont il est pourtant nécessaire
d'avoir des notions justes pour bien juger de notre état présent". »

Bien que la démarche de Rousseau dans cet ouvrage soit
remarquable, on a préféré retenir ici le texte de deux des notes
ajoutées par Rousseau et présentées ainsi dans son « Avertisse-
ment sur les notes » :

« J'ai ajouté quelques notes à cet ouvrage selon ma coutume
paresseuse de travailler à bâtons rompus. Ces notes s'écartent
quelquefois assez du sujet pour n'être pas bonnes à lire avec le
texte. Je les ai donc rejetées à la fin du Discours, dans lequel

j'ai tâché de suivre de mon mieux le plus droit chemin. Ceux qui auront le courage de recommencer pourront s'amuser la seconde fois à battre les buissons, et tenter de parcourir les notes; il y aura peu de mal que les autres ne les lisent point du tout.»

Les jugements précipités, et qui ne sont point le fruit d'une raison éclairée, sont sujets à donner dans l'excès. Nos voyageurs font sans façon des bêtes sous les noms de *Pongos*, de *Mandrills,* d'*Orang-Outang*, de ces mêmes êtres dont sous le nom de *Satyres*, de *Faunes,* de *Sylvains*, les Anciens faisaient des divinités. Peut-être après des recherches plus exactes trouvera-t-on que ce sont des hommes. En attendant, il me paraît qu'il y a bien autant de raison de s'en rapporter là-dessus à Morella [1], religieux lettré, témoin oculaire, et qui avec toute sa naïveté ne laissait pas d'être homme d'esprit, qu'au marchand Battel, à Dapper [2], à Purchas [3], et aux autres compilateurs.

Quel jugement pense-t-on qu'eussent porté de pareils observateurs sur l'enfant trouvé en 1694 dont j'ai déjà parlé ci-devant [4], qui ne donnait aucune marque de raison, mar-

---

1. G. Morella da Sorrento, capucin italien qui séjourna dix ans, en mission, dans le sud de l'Afrique, témoigne, dans la relation de son voyage au Congo (1692), de son intérêt pour le merveilleux. Rousseau se sert abondamment, dans cette longue note, de l'*Histoire [générale] des voyages*, traduite de l'anglais en 1746.
2. Olfert Dapper (1635-1689), qui a donné son nom à un musée parisien consacré aux arts et aux cultures de l'Afrique et des Caraïbes, et dont l'ouvrage le plus célèbre est sa *Description de l'Afrique* (1686), n'a sans doute jamais quitté sa terre natale, les Pays-Bas.
3. Samuel Purchas, auteur de *Purchas his Pilgrimes* (1624-1625), a compilé, plus ou moins fidèlement, quantité de récits de voyages écrits et oraux, dont celui d'Andrew Battell, marin anglais à qui l'auteur de science-fiction Robert Silverberg a redonné vie dans *Le Seigneur des Ténèbres*.
4. Il s'agit d'un enfant-ours découvert en Lituanie (voir Lucien Malson, *Les Enfants sauvages*).

chait sur ses pieds et sur ses mains, n'avait aucun langage et formait des sons qui ne ressemblaient en rien à ceux d'un homme ? Il fut longtemps, continue le même philosophe qui me fournit ce fait, avant de pouvoir proférer quelques paroles, encore le fit-il d'une manière barbare. Aussitôt qu'il put parler, on l'interrogea sur son premier état, mais il ne s'en souvint non plus que nous nous souvenons de ce qui nous est arrivé au berceau. Si malheureusement pour lui cet enfant fût tombé dans les mains de nos voyageurs, on ne peut douter qu'après avoir remarqué son silence et sa stupidité, ils n'eussent pris le parti de le renvoyer dans les bois ou de l'enfermer dans une ménagerie ; après quoi ils en auraient savamment parlé dans de belles relations, comme d'une bête fort curieuse qui ressemblait assez à l'homme.

Depuis trois ou quatre cents ans que les habitants de l'Europe inondent les autres parties du monde et publient sans cesse de nouveaux recueils de voyages et de relations, je suis persuadé que nous ne connaissons d'hommes que les seuls Européens ; encore paraît-il aux préjugés ridicules qui ne sont pas éteints, même parmi les gens de lettres, que chacun ne fait guère sous le nom pompeux d'étude de l'homme que celle des hommes de son pays. Les particuliers ont beau aller et venir, il semble que la philosophie ne voyage point, aussi celle de chaque peuple est-elle peu propre pour un autre. La cause de ceci est manifeste, au moins pour les contrées éloignées : il n'y a guère que quatre sortes d'hommes qui fassent des voyages de long cours ; les marins, les marchands, les soldats et les missionnaires. Or, on ne doit guère s'attendre que les trois premières classes fournissent de bons observateurs et quant à ceux de la quatrième, occupés de la vocation sublime qui les appelle, quand ils ne seraient pas sujets à des préjugés d'état comme tous les autres, on doit croire qu'ils ne se livreraient pas volontiers à des recherches qui paraissent de pure curiosité et qui les détourneraient des travaux plus importants auxquels ils se destinent. D'ailleurs, pour prêcher utilement l'Évangile, il ne faut que du zèle et Dieu donne le reste, mais pour étudier les hommes il faut des talents que Dieu ne s'engage à donner à personne et qui ne sont pas toujours le partage des saints. On n'ouvre pas un livre de voyages où l'on ne trouve des descriptions de caractères et de mœurs ; mais on est tout étonné d'y voir que ces gens qui ont tant décrit de choses, n'ont dit que ce que chacun savait déjà, n'ont su apercevoir à l'autre bout du monde que ce qu'il n'eût tenu qu'à eux de remarquer sans sortir de leur rue, et que ces traits vrais qui distinguent les nations, et qui frappent les yeux faits pour voir, ont presque toujours échappé aux leurs. De là est venu ce bel adage de morale, si rebattu par la tourbe philosophesque[1], que les hommes sont partout les mêmes, qu'ayant partout les mêmes passions et les mêmes vices, il est assez inutile de chercher à caractériser les différents peuples ; ce qui est à peu près aussi bien raisonné que si l'on disait qu'on ne saurait distinguer Pierre d'avec Jacques, parce qu'ils ont tous deux un nez, une bouche et des yeux.

Ne verra-t-on jamais renaître ces temps heureux où les peuples ne se mêlaient point de philosopher, mais où les Platon, les Thalès et les Pythagore[2] épris d'un ardent désir de savoir, entreprenaient les plus grands voyages uniquement pour s'instruire, et allaient au loin secouer le joug des préjugés nationaux, apprendre à connaître les hommes par leurs conformités et par leurs différences et acquérir ces connaissances universelles qui ne sont point celles d'un siècle ou d'un pays exclusivement mais qui, étant de tous les temps et de tous les lieux, sont pour ainsi dire la science commune des sages ?

---

1. Néologisme péjoratif créé par Rousseau.
2. Philosophes grecs.

On admire la magnificence de quelques curieux qui ont fait ou fait faire à grands frais des voyages en Orient avec des savants et des peintres, pour y dessiner des masures et déchiffrer ou copier des inscriptions : mais j'ai peine à concevoir comment dans un siècle où l'on se pique de belles connaissances il ne se trouve pas deux hommes bien unis, riches, l'un en argent, l'autre en génie, tous deux aimant la gloire et aspirant à l'immortalité, dont l'un sacrifie vingt mille écus de son bien et l'autre dix ans de sa vie à un célèbre voyage autour du monde ; pour y étudier, non toujours des pierres et des plantes, mais une fois les hommes et les mœurs, et qui, après tant de siècles employés à mesurer et considérer la maison, s'avisent enfin d'en vouloir connaître les habitants.

Les académiciens qui ont parcouru les parties septentrionales de l'Europe et méridionales de l'Amérique avaient plus pour objet de les visiter en géomètres qu'en philosophes. Cependant, comme ils étaient à la fois l'un et l'autre, on ne peut pas regarder comme tout à fait inconnues les régions qui ont été vues et décrites par les La Condamine et les Maupertuis [1]. Le joaillier Chardin [2], qui a voyagé comme Platon, n'a rien laissé à dire sur la Perse ; la Chine paraît avoir été bien observée par les Jésuites [3].

---

1. Charles Marie de La Condamine (1701-1774), explorateur et scientifique français, fut, après avoir réalisé plusieurs voyages en Afrique et en Orient, chargé par l'Académie des sciences d'une mission au Pérou afin de vérifier l'hypothèse de Newton concernant l'aplatissement de la Terre dans les régions polaires. Cette hypothèse provoquait alors de vifs débats en France, en particulier entre Jacques Cassini et Pierre Louis de Maupertuis (1698-1759), qui dirigea une autre expédition, en Laponie, sur le même sujet.

2. Jean Chardin (1643-1713) se rendit en Perse et en Inde pour y faire le commerce des diamants ; il publia la relation de ses séjours à Amsterdam en 1711.

3. Les Jésuites, implantés en Chine depuis 1582, ont fait connaître leurs missions à travers une volumineuse collection de *Lettres curieuses et édifiantes* publiée entre 1702 et 1772.

Kempfer[1] donne une idée passable du peu qu'il a vu dans
le Japon. À ces relations près, nous ne connaissons point
les peuples des Indes orientales, fréquentées uniquement
par des Européens plus curieux de remplir leurs bourses
que leurs têtes. L'Afrique entière et ses nombreux habitants, aussi singuliers par leur caractère que par leur couleur, sont encore à examiner ; toute la terre est couverte
de nations dont nous ne connaissons que les noms, et nous
nous mêlons de juger le genre humain ! Supposons un Montesquieu, un Buffon, un Diderot, un Duclos, un d'Alembert,
un Condillac[2], ou des hommes de cette trempe, voyageant
pour instruire leurs compatriotes, observant et décrivant
comme ils savent faire, la Turquie, l'Égypte, la Barbarie, l'empire de Maroc, la Guinée, le pays des Cafres, l'intérieur de
l'Afrique et ses côtes orientales, les Malabares, le Mogol, les
rives du Gange, les royaumes de Siam, de Pegu et d'Ava, la
Chine, la Tartarie, et surtout le Japon ; puis dans l'autre
hémisphère le Mexique, le Pérou, le Chili, les Terres magel-
laniques, sans oublier les Patagons vrais ou faux, le Tucu-
man, le Paraguay s'il était possible, le Brésil, enfin les
Caraïbes, la Floride et toutes les contrées sauvages, voyage
le plus important de tous et celui qu'il faudrait faire avec le
plus de soin ; supposons que ces nouveaux Hercules[3], de
retour de ces courses mémorables, fissent ensuite à loisir
l'histoire naturelle, morale et politique, de ce qu'ils auraient
vu, nous verrions nous-mêmes sortir un monde nouveau de
dessous leur plume, et nous apprendrions ainsi à connaître

---

1. Engelbert Kempfer (1651-1716), qui séjourna au Japon de 1690
à 1692, est l'auteur d'une *Histoire du Japon* publiée en 1727.
2. Philosophes contemporains de Rousseau.
3. Hercule (Héraclès), héros grec célèbre pour les douze travaux
qu'il dut réaliser afin d'expier le meurtre de sa femme et de ses fils,
commis dans un moment de folie provoqué par la déesse Junon
(Héra).

le nôtre. Je dis que quand de pareils observateurs affirme-
ront d'un tel animal que c'est un homme, et d'un autre que
c'est une bête, il faudra les en croire ; mais ce serait une
grande simplicité de s'en rapporter là-dessus à des voyageurs grossiers, sur lesquels on serait quelquefois tenté de
faire la même question qu'ils se mêlent de résoudre sur
d'autres animaux.

Dans la note qui suit, Rousseau s'amuse à comparer les
modes de vie civilisé et sauvage : lequel des deux est vraiment
préférable à l'autre ?

C'est une chose extrêmement remarquable que depuis
tant d'années que les Européens se tourmentent pour amener les sauvages des diverses contrées du monde à leur
manière de vivre, ils n'aient pas pu encore en gagner un seul,
non pas même à la faveur du christianisme ; car nos missionnaires en font quelquefois des chrétiens, mais jamais des
hommes civilisés. Rien ne peut surmonter l'invincible répugnance qu'ils ont à prendre nos mœurs et vivre à notre
manière. Si ces pauvres sauvages sont aussi malheureux
qu'on le prétend, par quelle inconcevable dépravation de
jugement refusent-ils constamment de se policer[1] à notre
imitation ou d'apprendre à vivre heureux parmi nous ; tandis qu'on lit en mille endroits que des Français et d'autres
Européens se sont réfugiés volontairement parmi ces
nations, y ont passé leur vie entière sans pouvoir plus quitter une si étrange manière de vivre, et qu'on voit même des
missionnaires sensés regretter avec attendrissement les
jours calmes et innocents qu'ils ont passés chez ces peuples
si méprisés ? Si l'on répond qu'ils n'ont pas assez de lumières
pour juger sainement de leur état et du nôtre, je réplique-

---

1. Discipliner, adoucir les mœurs.

rai que l'estimation du bonheur est moins l'affaire de la raison que du sentiment. D'ailleurs cette réponse peut se rétorquer contre nous avec plus de force encore ; car il y a plus loin de nos idées à la disposition d'esprit où il faudrait être pour concevoir le goût que trouvent les sauvages à leur manière de vivre que des idées des sauvages à celles qui peuvent leur faire concevoir la nôtre. En effet, après quelques observations il leur est aisé de voir que tous nos travaux se dirigent sur deux seuls objets, savoir, pour soi les commodités de la vie, et la considération parmi les autres. Mais le moyen pour nous d'imaginer la sorte de plaisir qu'un sauvage prend à passer sa vie seul au milieu des bois ou à la pêche, ou à souffler dans une mauvaise flûte, sans jamais savoir en tirer un seul ton et sans se soucier de l'apprendre ?

On a plusieurs fois amené des sauvages à Paris, à Londres et dans d'autres villes ; on s'est empressé de leur étaler notre luxe, nos richesses et tous nos arts les plus utiles et les plus curieux ; tout cela n'a jamais excité chez eux qu'une admiration stupide, sans le moindre mouvement de convoitise. Je me souviens entre autres de l'histoire d'un chef de quelques Américains septentrionaux qu'on mena à la cour d'Angleterre il y a une trentaine d'années. On lui fit passer mille choses devant les yeux pour chercher à lui faire quelque présent qui pût lui plaire, sans qu'on trouvât rien dont il parût se soucier. Nos armes lui semblaient lourdes et incommodes, nos souliers lui blessaient les pieds, nos habits le gênaient, il rebutait[1] tout ; enfin on s'aperçut qu'ayant pris une couverture de laine, il semblait prendre plaisir à s'en envelopper les épaules ; vous conviendrez, au moins, lui dit-on aussitôt, de l'utilité de ce meuble ? Oui, répondit-il, cela me paraît presque aussi bon qu'une peau

---

1. Repoussait.

de bête. Encore n'eût-il pas dit cela s'il eût porté l'une et l'autre à la pluie.

Peut-être me dira-t-on que c'est l'habitude qui, attachant chacun à sa manière de vivre, empêche les sauvages de sentir ce qu'il y a de bon dans la nôtre. Et sur ce pied-là il doit paraître au moins fort extraordinaire que l'habitude ait plus de force pour maintenir les sauvages dans le goût de leur misère que les Européens dans la jouissance de leur félicité. Mais pour faire à cette dernière objection une réponse à laquelle il n'y ait pas un mot à répliquer, sans alléguer tous les jeunes sauvages qu'on s'est vainement efforcé de civiliser ; sans parler des Groenlandais et des habitants de l'Islande, qu'on a tenté d'élever et nourrir en Danemark, et que la tristesse et le désespoir ont tous fait périr, soit de langueur, soit dans la mer où ils avaient tenté de regagner leur pays à la nage ; je me contenterai de citer un seul exemple bien attesté, et que je donne à examiner aux admirateurs de la police[1] européenne.

« Tous les efforts des missionnaires hollandais du cap de Bonne-Espérance n'ont jamais été capables de convertir un seul Hottentot[2]. Van der Stel, gouverneur du Cap, en ayant pris un dès l'enfance, le fit élever dans les principes de la religion chrétienne et dans la pratique des usages de l'Europe. On le vêtit richement, on lui fit apprendre plusieurs langues et ses progrès répondirent fort bien aux soins qu'on prit pour son éducation. Le gouverneur, espérant beaucoup de son esprit, l'envoya aux Indes avec un commissaire général qui l'employa utilement aux affaires de la Compagnie. Il revint au Cap après la mort du commissaire. Peu de jours après son retour, dans une visite qu'il rendit à quelques Hottentots de ses parents, il prit le parti de se dépouiller

---

1. Organisation politique et administrative.
2. Peuple pasteur et nomade de l'Afrique du Sud-Ouest.

de sa parure européenne pour se revêtir d'une peau de brebis. Il retourna au fort, dans ce nouvel ajustement, chargé d'un paquet qui contenait ses anciens habits, et les présentant au gouverneur il lui tint ce discours (voyez le frontispice). "Ayez la bonté, monsieur, de faire attention que je renonce pour toujours à cet appareil. Je renonce aussi pour toute ma vie à la religion chrétienne, ma résolution est de vivre et mourir dans la religion, les manières et les usages de mes ancêtres. L'unique grâce que je vous demande est de me laisser le collier et le coutelas que je porte. Je les garderai pour l'amour de vous." Aussitôt, sans attendre la réponse de Van der Stel, il se déroba par la fuite et jamais on ne le revit au Cap. »

VOLTAIRE (1694-1778)

Dictionnaire philosophique (première édition, 1764)
Article « Anthropophages »

(extrait des *Œuvres complètes*, édition dite « de Kehl »,
1784-1789)

*Voltaire, à qui Rousseau envoya ce Discours, répondit par
une lettre critique et méchante, délibérément caricaturale :*

« On n'a jamais employé tant d'esprit à vouloir nous rendre
bêtes ; il prend envie de marcher à quatre pattes, quand on lit
votre ouvrage. Cependant, comme il y a plus de soixante ans
que j'en ai perdu l'habitude, je sens malheureusement qu'il m'est
impossible de la reprendre, et je laisse cette allure naturelle à
ceux qui en sont plus dignes que vous et moi. »

*Cela ne l'a cependant pas empêché, lui aussi, de mettre en
scène l'autre, le sauvage. Plutôt qu'à* L'Ingénu *(1767), on se réfé-
rera ici au* Dictionnaire philosophique *qui, à l'article « Anthropophages », propose d'une part un relevé des témoignages
concernant le cannibalisme (section II) et d'autre part une
réflexion paradoxale sur cette pratique (sections I et III).*

Nous avons parlé de l'amour. Il est dur de passer de gens
qui se baisent à gens qui se mangent. Il n'est que trop vrai
qu'il y a eu des anthropophages ; nous en avons trouvé
en Amérique ; il y en a peut-être encore, et les cyclopes
n'étaient pas les seuls dans l'Antiquité qui se nourrissaient
quelquefois de chair humaine. Juvénal rapporte que chez les
Égyptiens, ce peuple si sage, si renommé pour les lois, ce

peuple si pieux qui adorait des crocodiles et des oignons, les Tintirites [1] mangèrent un de leurs ennemis tombé entre leurs mains; il ne fait pas ce conte sur un ouï-dire, ce crime fut commis presque sous ses yeux; il était alors en Égypte, et à peu de distance de Tintire. Il cite, à cette occasion, les Gascons et les Sagontins [2] qui se nourrirent autrefois de la chair de leurs compatriotes.

En 1725 on amena quatre sauvages du Mississippi à Fontainebleau, j'eus l'honneur de les entretenir; il y avait parmi eux une dame du pays, à qui je demandai si elle avait mangé des hommes; elle me répondit très naïvement qu'elle en avait mangé. Je parus un peu scandalisé; elle s'excusa en disant qu'il valait mieux manger son ennemi mort que de le laisser dévorer aux bêtes, et que les vainqueurs méritaient d'avoir la préférence. Nous tuons en bataille rangée ou non rangée nos voisins, et pour la plus vile récompense nous travaillons à la cuisine des corbeaux et des vers. C'est là qu'est l'horreur, c'est là qu'est le crime; qu'importe quand on est tué d'être mangé par un soldat, ou par un corbeau ou un chien?

Nous respectons plus les morts que les vivants. Il aurait fallu respecter les uns et les autres. Les nations qu'on nomme policées ont eu raison de ne pas mettre leurs ennemis vaincus à la broche; car s'il était permis de manger ses voisins, on mangerait bientôt ses compatriotes; ce qui serait un grand inconvénient pour les vertus sociales. Mais les nations policées ne l'ont pas toujours été; toutes ont été longtemps sauvages; et dans le nombre infini de révolutions que ce globe a éprouvées, le genre humain a été tantôt nombreux, tantôt très rare. Il est arrivé aux hommes ce qui

1. Habitants de Tentyra, ville d'Égypte.
2. Habitants de Sagonte, ville située à l'est de l'Espagne, près de Valence.

arrive aujourd'hui aux éléphants, aux lions, aux tigres dont l'espèce a beaucoup diminué. Dans les temps où une contrée était peu peuplée d'hommes, ils avaient peu d'art, ils étaient chasseurs. L'habitude de se nourrir de ce qu'ils avaient tué fit aisément qu'ils traitèrent leurs ennemis comme leurs cerfs et leurs sangliers. C'est la superstition qui a fait immoler des victimes humaines, c'est la nécessité qui les a fait manger.

Quel est le plus grand crime, ou de s'assembler pieusement pour plonger un couteau dans le cœur d'une jeune fille ornée de bandelettes, à l'honneur de la Divinité, ou de manger un vilain homme qu'on a tué à son corps défendant ? [...]

La faim et le désespoir contraignirent, aux sièges de Sancerre et de Paris, pendant nos guerres de religion, des mères à se nourrir de la chair de leurs enfants. Le charitable Las Casas, évêque de Chiapa, dit que cette horreur n'a été commise en Amérique que par quelques peuples chez lesquels il n'a pas voyagé. Dampierre [1] assure qu'il n'a jamais rencontré d'anthropophages, et il n'y a peut-être pas aujourd'hui deux peuplades où cette horrible coutume soit en usage.

Améric Vespuce [2] dit, dans une de ses lettres, que les Brésiliens furent fort étonnés quand il leur fit entendre que les Européens ne mangeaient point leurs prisonniers de guerre depuis longtemps.

Les Gascons et les Espagnols avaient commis autrefois cette barbarie, à ce que rapporte Juvénal dans sa quinzième satire (V. 83). [...]

---

1. William Dampier (1652-1715), explorateur et pirate anglais qui a réalisé deux fois le tour du monde et publié des comptes rendus de ses voyages qui rencontrèrent un grand succès.

2. Amerigo Vespucci (1454-1512), marchand et navigateur florentin, dont le prénom a servi à baptiser le Nouveau Monde. Son rôle dans la découverte de l'Amérique reste cependant discuté.

Finissons par le témoignage de Montaigne. Il parle de ce que lui ont dit les compagnons de Villegagnon, qui revenait du Brésil, et de ce qu'il a vu en France. Il certifie que les Brésiliens mangeaient leurs ennemis tués à la guerre ; mais, lisez ce qu'il ajoute : « Où est plus de barbarie à manger un homme mort qu'à le faire rôtir par le menu, et le faire meurtrir aux chiens et pourceaux, comme nous avons vu de fraîche mémoire, non entre ennemis anciens, mais entre voisins et concitoyens ; et, qui pis est, sous prétexte de piété et de religion ? » Quelles cérémonies pour un philosophe tel que Montaigne ! Si Anacréon et Tibulle [1] étaient nés Iroquois, ils auraient donc mangé des hommes ?... Hélas !

[...]

Encore un mot sur l'anthropophagie. On trouve dans un livre qui a eu assez de succès chez les honnêtes gens, ces paroles ou à peu près :

Du temps de Cromwell une chandelière de Dublin vendait d'excellentes chandelles faites avec de la graisse d'Anglais. Au bout de quelque temps un de ses chalands se plaignit de ce que sa chandelle n'était plus si bonne. « Monsieur, lui dit-elle, c'est que les Anglais nous ont manqué. »

Je demande qui était le plus coupable, ou ceux qui assassinaient des Anglais, ou la pauvre femme qui faisait de la chandelle avec leur suif ? Je demande encore quel est le plus grand crime, ou de faire cuire un Anglais pour son dîner, ou d'en faire des chandelles pour s'éclairer à souper ? Le grand mal, ce me semble, est qu'on nous tue. Il importe peu qu'après notre mort nous servions de rôti ou de chandelle ; un honnête homme même n'est pas fâché d'être utile après sa mort.

---

1. Poètes élégiaques, l'un grec, l'autre latin.

JONATHAN SWIFT (1667-1745)

Modeste proposition concernant les enfants des classes pauvres. Comment soulager leurs parents et la nation de la charge qu'ils représentent — Comment les utiliser pour le bien public (1729)

(trad. de l'anglais par Émile Pons, « Bibl. de la Pléiade » n° 180)

Dans l'article de Voltaire que l'on vient de lire, il y a trace d'un humour anglais qu'on ne manquera pas de rapprocher d'un texte signé par l'auteur des célèbres Voyages de Gulliver. *Il n'est apparemment pas question des sauvages dans le plus connu des « tracts irlandais », mais le plus sauvage n'est, comme chez Jean de Léry ou Montaigne, pas forcément celui que l'on croit...*

Rien n'est plus affligeant pour quiconque traverse la capitale ou voyage en province, que le spectacle de ces mendiantes encombrant les rues, les routes et le seuil des masures, suivies de trois, quatre ou six enfants, en groupes déguenillés, qui harcèlent le passant de leurs mains tendues. Ces mères de famille pourraient être d'honnêtes travailleuses. Seule les lance toute la journée à la rue l'obligation de mendier le pain de leurs jeunes enfants, qui périraient sans elles, mais dont le chômage fera plus tard, soit des brigands, soit des mercenaires du Prétendant en Espagne loin de leur chère patrie, soit des esclaves volontaires dans les îles Barbades [1].

C'est une vérité admise, je crois, par tous les partis, que

---

1. L'île Barbade se trouve aux Caraïbes.

ce nombre prodigieux d'enfants sur les bras, le dos ou les talons de leur mère (et fréquemment de leur père) est, dans le déplorable état présent du Royaume, un très gros ennui supplémentaire. Par conséquent, tout procédé radical, bon marché et facile, permettant une intégration durable et heureuse de ces enfants à la richesse nationale, serait d'un tel intérêt pour le bien public que son inventeur mériterait pour le moins qu'on lui élevât une statue, comme bienfaiteur de la Nation.

Mais je n'ai pas l'intention, loin de là, de limiter mon projet aux seuls enfants des mendiants professionnels : je le conçois comme bien plus vaste et englobant la totalité des enfants d'un âge donné, dont les parents sont, en fait, aussi peu en état de les nourrir que les gens qui nous demandent la charité dans la rue.

Pour mon compte, plusieurs années de réflexion consacrées à cet important problème et un examen attentif des projets d'autres auteurs m'ont fait découvrir, dans chacun de ceux-ci, de grossières erreurs de calcul. Un fait est certain : pendant une année solaire à compter du jour où elle a mis bas, une mère peut faire vivre un enfant de son lait. Ajoutons-y un très petit complément de nourriture, évaluable à moins de deux shillings, somme que l'exercice légal de la mendicité lui procurera certainement en numéraire ou sous forme de reliefs de table. Or, mon projet concerne les enfants d'exactement cet âge d'un an et vise — au lieu de les laisser être un fardeau pour leurs parents ou la paroisse, et manquer de pain et de vêtements tout le reste de leur vie — à les faire contribuer à l'alimentation et en partie à l'habillement de nombreux milliers d'hommes.

Mon plan n'est pas sans comporter un autre avantage, celui de faire disparaître les avortements et cette horrible pratique de l'infanticide — qui est, hélas ! trop fréquente parmi nos filles-mères et dont je vois plutôt la cause dans la peur des dépenses que dans la honte. Ce sacrifice de pauvres bébés innocents arracherait des larmes de compassion au cœur le plus sauvage et le plus inhumain.

Il ressort du chiffre de un million et demi d'âmes, auquel s'élève, croit-on, la population irlandaise, que celle-ci comprend deux cent mille couples environ dont la femme est reproductrice. Retranchons trente mille couples qui sont en état de faire vivre eux-mêmes leurs enfants (chiffre un peu forcé, je le crains, vu la détresse actuelle du Royaume), mais ceci posé, il nous reste cent soixante-dix mille reproductrices. Retranchons encore cinquante mille pour les fausses couches et les morts d'enfants de moins d'un an par accidents ou maladies. Il reste donc qu'il naît chaque année dans les familles pauvres un total de cent vingt mille enfants. Comment élever ces multitudes ? Comment leur assurer un avenir ? C'est là le problème, et, je le répète, dans la situation présente des affaires, tous les autres projets le laissent sans solution. Car on ne peut trouver d'emploi ni dans l'industrie ni dans l'agriculture. La construction est en sommeil (du moins en province). Les champs sont en friche. Vivre de rapines[1] ? Cela n'est possible, avant l'âge de six ans, que pour les sujets exceptionnellement doués. Je concède que les rudiments du métier peuvent s'apprendre bien plus tôt, mais sans qu'on dépasse à vrai dire le stage de l'apprentissage. Je tiens ces données d'une importante personnalité du comté de Cavan[2], qui m'a assuré ne pas connaître plus d'un ou deux voleurs qualifiés de moins de six ans, bien que les naturels du pays soient fameux pour leur précocité en cet art.

Nos marchands eux-mêmes m'ont révélé qu'au-dessous de douze ans ni les filles ni les garçons ne trouvaient ache-

---

1. Petits vols.
2. Comté d'Irlande.

teur, et que ceux-là même qui arrivent à cet âge font tout juste le prix de trois livres, ou trois livres et demie, ce qui n'est payant ni pour les parents ni pour la Nation, les frais de nourriture et de haillons s'étant élevés au moins à quatre fois cette somme.

J'en arrive donc à exposer humblement mes propres idées qui je l'espère, ne soulèveront pas la moindre objection.

J'ai connu à Londres un Américain fort compétent, lequel m'a révélé qu'un bébé sain et bien nourri constitue à l'âge d'un an un plat délicieux, riche en calories et hygiénique, qu'il soit préparé à l'étouffée, à la broche, au four ou en pot-au-feu et j'ai tout lieu de croire qu'il fournit de même d'excellents fricassées et ragoûts.

L'humble plan que je propose au public est donc le suivant : sur ce chiffre de cent vingt mille enfants que j'ai avancé, on en réserverait vingt mille pour la reproduction, dont le quart seulement de mâles (proportion supérieure à celle de nos troupeaux d'ovins, de bovins ou de porcs, et justifiée par les très nombreuses naissances hors mariage des enfants en question : nos sauvages n'attachant que peu d'importance au fait d'être marié ou non, rien ne s'oppose à ce qu'un seul mâle serve quatre femelles). On vendrait les cent mille autres à l'âge de un an. On les proposerait à la clientèle la plus riche et distinguée du Royaume, non sans prévenir les mères de leur donner le sein à satiété pendant le dernier mois de manière à les rendre gras à souhait pour une bonne table. Si l'on reçoit, on pourra faire deux plats d'un enfant. Si l'on dîne en famille, on pourra se contenter d'un quartier (avant ou arrière), lequel, légèrement salé et poivré, fournira un excellent pot-au-feu, le quatrième jour, spécialement en hiver.

Selon mes calculs, le poids moyen d'un nouveau-né est

de douze livres. Avec une bonne nourrice, il peut atteindre vingt-huit livres en une année solaire.

J'admets qu'il s'agit d'un comestible cher, pourquoi je le destine aux propriétaires terriens : ayant sucé la moelle des pères, ils semblent les plus qualifiés pour manger la chair des fils.

MONTESQUIEU (1689-1755)

L'Esprit des lois (1748)

Livre XV, « Comment les lois de l'esclavage civil ont du rapport avec la nature du climat »

On en oublierait presque que le XVIIIe siècle a vu, en même temps que la colonisation, la systématisation de l'esclavage, sur lequel réfléchit Montesquieu : après avoir défini l'esclavage comme « l'établissement d'un droit qui rend un homme tellement propre à un autre homme qu'il est le maître absolu de sa vie et de ses biens » (chap. 1), l'auteur de L'Esprit des lois réfute les jurisconsultes romains, qui justifiaient l'esclavage par la pitié envers les prisonniers (réduits en esclavage plutôt que tués), les endettés (qui, en se vendant eux-mêmes, échappaient aux maltraitances de leurs créanciers), les enfants d'esclaves (que leur père ne pouvait nourrir), et substitue à leurs explications d'autres hypothèses (chap. 2).

3. Autre origine du droit de l'esclavage

J'aimerais autant dire que le droit de l'esclavage vient du mépris qu'une nation conçoit pour une autre, fondé sur la différence des coutumes.

Lopès de Gomara dit « que les Espagnols trouvèrent, près de Sainte-Marthe, des paniers où les habitants avaient des denrées : c'étaient des cancres, des limaçons, des cigales, des sauterelles. Les vainqueurs en firent un crime aux vaincus ». L'auteur avoue que c'est là-dessus qu'on fonda le droit qui rendait les Américains esclaves des Espagnols ; outre qu'ils fumaient du tabac, et qu'ils ne se faisaient pas la barbe à l'espagnole.

Les connaissances rendent les hommes doux ; la raison porte à l'humanité : il n'y a que les préjugés qui y fassent renoncer.

4. Autre origine du droit de l'esclavage

J'aimerais autant dire que la religion donne à ceux qui la professent un droit de réduire en servitude ceux qui ne la professent pas, pour travailler plus aisément à sa propagation.

Ce fut cette manière de penser qui encouragea les destructeurs de l'Amérique dans leurs crimes*. C'est sur cette idée qu'ils fondèrent le droit de rendre tant de peuples esclaves ; car ces brigands, qui voulaient absolument être brigands et chrétiens, étaient très dévots.

Louis XIII** se fit une peine extrême de la loi qui rendait esclaves les nègres de ses colonies ; mais quand on lui eut bien mis dans l'esprit que c'était la voie la plus sûre pour les convertir, il y consentit.

5. De l'esclavage des nègres

Si j'avais à soutenir le droit que nous avons eu de rendre les nègres esclaves, voici ce que je dirais :

---

* Voyez l'*Histoire de la conquête du Mexique*, par Solis [t. I, chap. 4, p. 14], et celle du *Pérou*, par Garcilasso de la Vega (note de Montesquieu).

** Le Père Labat, *Nouveau Voyage aux îles de l'Amérique*, t. IV, p. 114, an. 1722, in-12 (note de Montesquieu).

Les peuples d'Europe ayant exterminé ceux de l'Amérique, ils ont dû mettre en esclavage ceux de l'Afrique, pour s'en servir à défricher tant de terres.

Le sucre serait trop cher, si l'on ne faisait travailler la plante qui le produit par des esclaves.

Ceux dont il s'agit sont noirs depuis les pieds jusqu'à la tête ; et ils ont le nez si écrasé qu'il est presque impossible de les plaindre.

On ne peut se mettre dans l'esprit que Dieu, qui est un être très sage, ait mis une âme, surtout une âme bonne, dans un corps tout noir.

Il est si naturel de penser que c'est la couleur qui constitue l'essence de l'humanité, que les peuples d'Asie, qui font des eunuques, privent toujours les noirs du rapport qu'ils ont avec nous d'une façon plus marquée.

On peut juger de la couleur de la peau par celle des cheveux, qui, chez les Égyptiens, les meilleurs philosophes du monde, étaient d'une si grande conséquence, qu'ils faisaient mourir tous les hommes roux qui leur tombaient entre les mains.

Une preuve que les nègres n'ont pas le sens commun, c'est qu'ils font plus de cas d'un collier de verre que de l'or, qui, chez des nations policées, est d'une si grande conséquence.

Il est impossible que nous supposions que ces gens-là soient des hommes ; parce que, si nous les supposions des hommes, on commencerait à croire que nous ne sommes pas nous-mêmes chrétiens.

De petits esprits exagèrent trop l'injustice que l'on fait aux Africains. Car, si elle était telle qu'ils le disent, ne serait-il pas venu dans la tête des princes d'Europe, qui font entre eux tant de conventions inutiles, d'en faire une générale en faveur de la miséricorde et de la pitié ?

Ces réflexions semblent trouver une application politique lors de la Révolution française, qui voit la Déclaration des droits de l'homme et du citoyen affirmer que « les hommes naissent et demeurent libres et égaux en droits ». Mais l'esclavage, aboli en France par les députés de la Convention, est rapidement rétabli par Napoléon (jusqu'à son abolition définitive en 1848), et l'Empire napoléonien appelle l'Empire colonial : les premières expéditions africaines s'accompagnent de chants cocardiers hautement significatifs :

> *« J'suis français, j'suis Chauvin,*
> *J'tapp' sur le bédouin »*
> *(T. et H. Coigniard, La Cocarde tricolore, 1831).*

C'est l'époque où les puissances européennes luttent entre elles pour la conquête du monde, et la « question d'Orient » occupe une place centrale.

Mais le terme d'« Orient » désigne, comme au Moyen Âge, un espace aux frontières variables : « Rien de plus mal défini que la contrée à laquelle on applique ce nom », note Pierre Larousse dans son Dictionnaire universel du XIXᵉ siècle. Il comprend l'Égypte, la Turquie, la Palestine et la Syrie, mais les romantiques y rattachent parfois aussi la Grèce ou l'Italie… et l'Asie. Une fois de plus, l'Orient, c'est surtout l'ailleurs, un espace imaginaire et fantasmatique où tout semble possible, le meilleur comme le pire.

FRANÇOIS RENÉ DE CHATEAUBRIAND
(1768-1848)

Itinéraire de Paris à Jérusalem (1811)

L'*Itinéraire de Paris à Jérusalem, qui rend compte d'un voyage réalisé de juillet 1806 à juin 1807, est divisé en sept parties (I. Grèce; II. Archipel, Anatolie, Constantinople; III. Rhodes, Jaffa, Bethléem, mer Morte; IV et V. Jérusalem; VI. Égypte; VII. Tunis et retour en France). Voici comment Chateaubriand présente son entreprise :*

Lorsqu'en 1806 j'entrepris le voyage d'outre-mer, Jérusalem était presque oubliée ; un siècle antireligieux avait perdu mémoire du berceau de la religion : comme il n'y avait plus de chevaliers, il semblait qu'il n'y eût plus de Palestine. [...]

Jérusalem, d'ailleurs si près de nous, paraissait être au bout du monde : l'imagination se plaisait à semer des obstacles et des périls sur les avenues de la Cité sainte. Je tentai l'aventure, et il m'arriva ce qui arrive à quiconque marche sur l'objet de sa frayeur : le fantôme s'évanouit. Je fis le tour de la Méditerranée sans accidents graves, retrouvant Sparte, passant à Athènes, saluant Jérusalem, admirant Alexandrie, signalant Carthage, et me reposant du spectacle de tant de ruines dans les ruines de l'Alhambra.

J'ai donc eu le très petit mérite d'ouvrir la carrière et le très grand plaisir de voir qu'elle a été suivie après moi. En effet, mon *Itinéraire* fut à peine publié qu'il servit de guide à une foule de voyageurs.

Dans l'édition de ses Œuvres complètes, il adjoint à ce texte une Note sur la Grèce, dont il fait un complément de l'Itiné- raire : «La Note présente la Grèce telle que des barbares la font aujourd'hui, l'Itinéraire la montre telle que d'autres bar- bares l'avaient faite autrefois.» Les Barbares, ce sont aujourd'hui les Turcs, sous la domination desquels la Grèce se trouve depuis le xve siècle. En 1821, les Grecs se révoltent, déclenchant une guerre d'indépendance qui n'aboutira qu'en 1830. Soutien de la cause grecque, Chateaubriand exprime, à l'égard des Turcs et de leurs alliés, dans un «Avant-propos» aux résonances quasi médiévales, un effroi aussi violent que son indignation à l'égard de l'attitude européenne, qu'il juge passive et complice.

Le pacha d'Égypte domine en Chypre, il est maître de Candie[1]; il étend sa puissance en Syrie; il cherche à enrô- ler et à discipliner les peuplades guerrières du Liban; il fait des conquêtes dans l'Abyssinie[2] et s'avance en Arabie jus- qu'aux environs de La Mecque; il a des trésors et des vais- seaux; il influe sur les régences barbaresques. Le voilà en Morée[3], il peut demander l'empire avant que le sultan lui demande sa tête. On ne remarque pas ces progrès pour- tant fort remarquables. Si une nation civilisée précipitait toutes ses armées sur un point de son territoire, l'Europe, justement inquiétée, lui demanderait compte de cette réso- lution : n'est-il pas étrange que l'on voie l'Afrique, l'Asie et l'Europe mahométane, verser incessamment leurs hordes dans la Grèce, sans que l'on craigne les effets plus ou moins

---

1. L'île de Crète.
2. Ancien nom de l'Éthiopie.
3. Nom donné au Moyen Âge à la région du Péloponnèse.

éloignés d'un pareil mouvement ! Une poignée de chrétiens qui s'efforcent de briser le joug odieux sont accusés par des chrétiens d'attenter au repos du monde ; et l'on voit sans effroi s'agiter, s'agglomérer, se discipliner ces milliers de barbares qui pénétrèrent jadis jusqu'au milieu de la France, jusqu'aux portes de Vienne !

On fait plus que de rester tranquille, on prête à ces nations ennemies les moyens d'arriver plus promptement à leur but. La postérité pourra-t-elle jamais croire que le monde chrétien, à l'époque de sa plus grande civilisation, a laissé des vaisseaux sous pavillon chrétien transporter des hordes de mahométans des ports de l'Afrique à ceux de l'Europe pour égorger des chrétiens ? Une flotte de plus de cent navires, manœuvrés par de prétendus disciples de l'Évangile, vient de traverser la Méditerranée, amenant à Ibrahim les disciples du Coran qui vont achever de ravager la Morée. Nos pères, que nous appelons barbares, saint Louis, quand il allait chercher les infidèles jusque dans leurs foyers, prêtaient-ils leurs galères aux Maures pour envahir de nouveau l'Espagne ?

L'Europe y songe-t-elle bien ? On enseigne aux Turcs à se battre régulièrement. Les Turcs, sous un gouvernement despotique, peuvent faire marcher toutes leurs populations : si ces populations armées se forment en bataillons, s'accoutument à la manœuvre, obéissent à leurs chefs ; si elles ont de l'artillerie bien servie ; en un mot, si elles apprennent la tactique européenne, on aura rendu possible une nouvelle invasion des barbares, à laquelle on ne croyait plus. Qu'on se souvienne (si l'expérience et l'histoire servent aujourd'hui à quelque chose), qu'on se souvienne que les Mahomet et les Soliman n'obtinrent leurs premiers succès que parce que l'art militaire était, à l'époque où ils parurent, plus avancé chez les Turcs que chez les chrétiens.

Non seulement on fait l'éducation des soldats de la secte

la plus fanatique et la plus brutale qui ait jamais pesé sur la race humaine, mais on les approche de nous. C'est nous, chrétiens, c'est nous qui prêtons des barques aux Arabes et aux nègres de l'Abyssinie pour envahir la chrétienté, comme les derniers empereurs romains transportèrent les Goths des rives du Danube dans le cœur même de l'empire.

MAXIME DU CAMP (1822-1894)
Lettres à Flaubert

Tout autre est la perception qui se donne à lire dans les écrits de Gustave Flaubert et de Maxime Du Camp. Ce dernier effectue seul un premier voyage en Orient en 1844, au cours duquel il adresse quatorze longues lettres, toutes conservées à sa demande, à Flaubert demeuré à Rouen. Puis les deux amis y retournent ensemble, de novembre 1849 à juin 1851, et en rapportent chacun des notes qui ont fait l'objet de diverses publications.

Constantinople, ce 18 juillet 1844

Il existe à Constantinople un endroit que j'affectionne particulièrement : c'est la promenade du petit Champ-des-Morts de Péra [...]. C'est là le lieu de réunion de tous les Francs qui habitent Constantinople. Chaque soir chacun y vient prendre des glaces en fumant, et chaque soir aussi des musiciens allemands s'établissent dans une cour et jouent des valses de leur pays. Presque chaque soir après mon dîner, je m'en vais, seul, me mettre bien à l'écart de tous, je m'étends sur deux chaises, j'allume un narguilé, et là, l'esprit bercé par les douces rêveries du pays, j'écoute la musique. Tu ne saurais croire, mon cher ami, à quel point j'en suis venu d'aimer ces airs et jusqu'aux misérables musiciens qui les exécutent. Seul, ne m'inquiétant nullement de ceux qui passent, j'aime à rester des soirées entières à écouter ces pauvres bohèmes jouer des airs que je connais pour la plupart, et qui par conséquent ne m'en sont que plus chers. Je suis certainement un de ceux qui leur donnent le plus. Je n'aime pas à y aller avec d'autres personnes : dans ce cas j'y suis agacé et mal à mon aise, tandis que seul j'y éprouve parfois une tristesse si douce et si pénétrante que j'en suis presque heureux. L'autre jour ils ont joué une valse de Beethoven que j'avais déjà souvent entendu exécutée à Ernest : tu ne peux croire à quel point j'ai été ému et remué par cette musique connue et si pleine de souvenirs. Si jamais tu voyages, mon cher Gustave, si jamais tu t'éloignes de tes affections pour longtemps je te souhaite de trouver sur ta route quelque pauvre musicien qui par ses airs te rappelle les lieux que tu as laissés et que tu regrettes. Ils ne jouent que des valses ; leur répertoire est composé d'une douzaine à peu près : je sais dans quel ordre ils les exécutent ; et lorsque quelque changement survient dans la marche ordinaire, je suis mécontent, taquiné, tant mon esprit est accoutumé à être bercé alternativement tantôt d'une façon, tantôt d'une autre, et toujours cependant dans le même ordre : je me prépare à une sensation et je suis désagréablement choqué quand je suis surpris par une autre. Un jour viendra peut-être que je regretterai les douloureuses jouissances que me causaient les pauvres Allemands du Champ-des-Morts de Péra.

Alger, ce 8 janvier 1845

[…] Tu connais l'aspect d'Alger, tu en as vu des tableaux, des gravures ; tu sais que la ville, bâtie en amphithéâtre est d'un aspect charmant, les maisons blanches derrière lesquelles apparaissent les têtes balancées de quelque haut palmier sont d'un effet délicieux. Malheureusement la civilisation s'y met, et tout est perdu : avant-hier j'étais monté derrière les quartiers maures, à la Casbah [1]. Une rue étroite, des balcons mauresques, des maisons plaquées de porcelaines ; par la grille ouverte d'un jardin, deux palmiers, des figuiers de barbarie, des aloès, à mes côtés un zouave en costume oriental, le turban au front, montait la garde, au-dessus de moi un ciel éclatant. J'étais le seul Franc, il n'y avait là que quelques Arabes : c'était de l'Orient, et du plus beau encore. Le zouave se mit à chanter : il chanta *Le Roi d'Yvetot* [2]. Je me retournai j'étais adossé à la rue *du Taureau*, en face *La Buvette des Grenadiers du Centre,* je me sauvai indigné contre cette civilisation qui me poursuivait impitoyablement jusqu'en Afrique : à 15 heures de Carthage. C'est désespérant.

---

1. Partie d'Alger correspondant à la vieille ville.
2. Chanson de Béranger (1813) qui rencontra un vif succès.

GUSTAVE FLAUBERT (1821-1880)

Voyage en Égypte

Vendredi 25 janvier, cérémonie du Dauseh[1]. — Piétinement. — [...] Tohu-bohu de couleurs, à cause de tous les turbans qui se pressaient — deux voitures pleines d'étrangers — une troisième voiture, verte, d'où sort la tête d'un nègre. Sur la terrasse du palais à droite des eunuques qui regardent.

Deux troupes d'hommes se sont avancées, se balançant et hurlant, quelques-uns avec des broches de fer passées dans la bouche, ou des tringles passées dans la poitrine; et aux deux bouts étaient des oranges — un grand nègre, la tête portée en avant, et tellement furieux qu'on le tenait à quatre — il ne savait plus où il était. Des eunuques tombaient sur la foule à grands coups de bâtons de palmier pour faire faire place; on entendait les coups sonner sur les tarbouchs[2] comme sur des balles de laine — ça avait le son régulier et nombreux d'une pluie. Par ce moyen un chemin a été ouvert dans la foule et l'on y a déposé les fidèles en tête-bêche,

---

1. Cette cérémonie commémore « le miracle d'un certain saint musulman qui est entré ainsi jadis dans Le Caire, en marchant avec son cheval sur des vases de verre sans les briser » (lettre de Flaubert à sa mère du 3 février 1850).

2. Coiffure portée par les hommes au Moyen-Orient, composée d'un bonnet en drap rouge entouré d'un turban généralement blanc.

couchés à plat ventre par terre. Avant que le chérif[1] ne pas-
sât, un homme a marché sur l'allée d'hommes pour voir s'ils
étaient bien serrés les uns contre les autres et qu'il n'y eût
pas d'interstice.

Le chérif en turban vert, pâle, barbe noire, attend
quelques moments que la rangée soit bien tassée ; son cheval est tenu à la bouche par deux saïs[2], et deux hommes
sont aux côtés du chérif et le soutiennent lui-même. Cheval alezan foncé, le chérif en gants verts. À la fin, ses mains
se sont mises à trembler et il s'est presque évanoui sur sa
selle, au bout de la promenade — il y avait, à vue de nez,
environ trois cents hommes — le cheval allait par grands
mouvements et avec répugnance, donnant des coups de
reins sans doute. La foule se répand aussitôt derrière le cheval quand il est passé, et il n'est pas possible de savoir s'il y
a quelqu'un de tué ou blessé. Bekir bey[3] nous a affirmé qu'il
n'y avait eu aucun accident.

La veille, nous avions été au couvent des derviches[4] —
furieux coups de tambourin — un homme se roulait par
terre avec un couteau — quels coups de tarabouks[5]! — le
canon n'en approche pas, comme effet terrifiant. — Tentes
sur l'Esbekieh[6], nous nous y promenons le soir, aux
lumières, à regarder les longues files de gens chanter.

------

1. Souverain, prince arabe — par extension de Chérif, descendant
de Mahomet.
2. « Coureurs qui précèdent les voitures de maître pour leur ouvrir
un passage dans la foule », d'après Théophile Gautier, *Voyage en Orient*,
1869.
3. Maxime Du Camp a fait la connaissance de Bekir, ancien tam-
bour devenu colonel, au Caire. « Bey » est un titre qui signifie « chef ».
4. Religieux musulmans, faisant partie d'une confrérie et vivant
dans un monastère.
5. Tambours de terre cuite.
6. Grande place du Caire.

Les notes et la correspondance entre les deux hommes révèlent aussi, en termes crus, l'autre attrait qu'ils trouvent à ces voyages : «*Parle-moi de tes expéditions lubriques*», ordonne Flaubert à Du Camp, qui s'empresse de lui obéir, comparant les mérites (et les prix) respectifs des femmes qu'il a fréquentées.

On leur préférera ici la parole de Baudelaire qui, malgré une réflexion amère sur l'inanité des voyages, cultive la nostalgie d'un âge d'or qui trouve à s'incarner parfois dans l'autre absolu qu'est la femme exotique.

CHARLES BAUDELAIRE (1821-1867)

Les Fleurs du mal (1840-1857)

Spleen et Idéal

V

J'aime le souvenir de ces époques nues,
Dont Phoebus [1] se plaisait à dorer les statues.
Alors l'homme et la femme en leur agilité
Jouissaient sans mensonge et sans anxiété,
Et, le ciel amoureux leur caressant l'échine,
Exerçaient la santé de leur noble machine.
Cybèle [2] alors, fertile en produits généreux,
Ne trouvait point ses fils un poids trop onéreux,
Mais, louve au cœur gonflé de tendresses communes,
Abreuvait l'univers à ses tétines brunes.
L'homme, élégant, robuste et fort, avait le droit
D'être fier des beautés qui le nommaient leur roi ;
Fruits purs de tout outrage et vierges de gerçures,
Dont la chair lisse et ferme appelait les morsures !

---

1. Apollon, dieu du Soleil.
2. Divinité associée à la nature.

Le Poète aujourd'hui, quand il veut concevoir
Ces natives grandeurs, aux lieux où se font voir
La nudité de l'homme et celle de la femme,
Sent un froid ténébreux envelopper son âme
Devant ce noir tableau plein d'épouvantement.
Ô monstruosités pleurant leur vêtement !
Ô ridicules troncs ! torses dignes des masques !
Ô pauvres corps tordus, maigres, ventrus ou flasques,
Que le dieu de l'Utile, implacable et serein,
Enfants, emmaillota dans ses langes d'airain !
Et vous, femmes, hélas ! pâles comme des cierges,
Que ronge et que nourrit la débauche, et vous, vierges,
Du vice maternel traînant l'hérédité
Et toutes les hideurs de la fécondité !

Nous avons, il est vrai, nations corrompues,
Aux peuples anciens des beautés inconnues :
Des visages rongés par les chancres[1] du cœur,
Et comme qui dirait des beautés de langueur ;
Mais ces inventions de nos muses tardives
N'empêcheront jamais les races maladives
De rendre à la jeunesse un hommage profond,
À la sainte jeunesse, à l'air simple, au doux front,
À l'œil limpide et clair ainsi qu'une eau courante,
Et qui va répandant sur tout, insouciante
Comme l'azur du ciel, les oiseaux et les fleurs,
Ses parfums, ses chansons et ses douces chaleurs !

---

1. Ulcération de la peau ou des muqueuses.

XXII. Parfum exotique

Quand, les deux yeux fermés, en un soir chaud d'automne,
Je respire l'odeur de ton sein chaleureux,
Je vois se dérouler des rivages heureux
Qu'éblouissent les feux d'un soleil monotone ;

Une île paresseuse où la nature donne
Des arbres singuliers et des fruits savoureux ;
Des hommes dont le corps est mince et vigoureux,
Et des femmes dont l'œil par sa franchise étonne.

Guidé par ton odeur vers de charmants climats,
Je vois un port rempli de voiles et de mâts
Encor tout fatigués par la vague marine,

Pendant que le parfum des verts tamariniers[1],
Qui circule dans l'air et m'enfle la narine,
Se mêle dans mon âme au chant des mariniers.

XXIII. La chevelure

Ô toison, moutonnant jusque sur l'encolure !
Ô boucles ! Ô parfum chargé de nonchaloir[2] !
Extase ! Pour peupler ce soir l'alcôve obscure
Des souvenirs dormant dans cette chevelure,
Je la veux agiter dans l'air comme un mouchoir !

_____

1. Grand arbre tropical.
2. Nonchalance.

La langoureuse Asie et la brûlante Afrique,
Tout un monde lointain, absent, presque défunt,
Vit dans tes profondeurs, forêt aromatique !
Comme d'autres esprits voguent sur la musique,
Le mien, ô mon amour ! nage sur ton parfum.

J'irai là-bas où l'arbre et l'homme, pleins de sève,
Se pâment longuement sous l'ardeur des climats ;
Fortes tresses, soyez la houle qui m'enlève !
Tu contiens, mer d'ébène, un éblouissant rêve
De voiles, de rameurs, de flammes et de mâts :

Un port retentissant où mon âme peut boire
À grands flots le parfum, le son et la couleur ;
Où les vaisseaux, glissant dans l'or et dans la moire [1],
Ouvrent leurs vastes bras pour embrasser la gloire
D'un ciel pur où frémit l'éternelle chaleur.

Je plongerai ma tête amoureuse d'ivresse
Dans ce noir océan où l'autre est enfermé ;
Et mon esprit subtil que le roulis caresse
Saura vous retrouver, ô féconde paresse,
Infinis bercements du loisir embaumé !

Cheveux bleus, pavillon de ténèbres tendues,
Vous me rendez l'azur du ciel immense et rond ;
Sur les bords duvetés de vos mèches tordues
Je m'enivre ardemment des senteurs confondues
De l'huile de coco, du musc et du goudron.

Longtemps ! toujours ! ma main dans ta crinière lourde
Sèmera le rubis, la perle et le saphir,
Afin qu'à mon désir tu ne sois jamais sourde !

—————
1. Étoffe chatoyante.

N'es-tu pas l'oasis où je rêve, et la gourde
Où je hume à longs traits le vin du souvenir ?

LXI. À une dame créole

Au pays parfumé que le soleil caresse,
J'ai connu, sous un dais [1] d'arbres tout empourprés
Et de palmiers d'où pleut sur les yeux la paresse,
Une dame créole aux charmes ignorés.

Son teint est pâle et chaud ; la brune enchanteresse
A dans le cou des airs noblement maniérés ;
Grande et svelte en marchant comme une chasseresse,
Son sourire est tranquille et ses yeux assurés.

Si vous alliez, Madame, au vrai pays de gloire,
Sur les bords de la Seine ou de la verte Loire,
Belle digne d'orner les antiques manoirs,

Vous feriez, à l'abri des ombreuses retraites,
Germer mille sonnets dans le cœur des poètes,
Que vos grands yeux rendraient plus soumis que vos noirs.

Nouvelles Fleurs du mal, IV. À une Malabaraise [2]

Tes pieds sont aussi fins que tes mains, et ta hanche
Est large à faire envie à la plus belle blanche ;
À l'artiste pensif ton corps est doux et cher ;

---

1. Tenture déployée au-dessus d'une estrade, d'un trône…
2. Originaire de Malabar, sur la côte sud-ouest de la péninsule Indienne.

Tes grands yeux de velours sont plus noirs que ta chair.
Aux pays chauds et bleus où ton Dieu t'a fait naître,
Ta tâche est d'allumer la pipe de ton maître,
De pourvoir les flacons d'eaux fraîches et d'odeurs,
De chasser loin du lit les moustiques rôdeurs,
Et, dès que le matin fait chanter les platanes,
D'acheter au bazar ananas et bananes.
Tout le jour, où tu veux, tu mènes tes pieds nus
Et fredonnes tout bas de vieux airs inconnus ;
Et quand descend le soir au manteau d'écarlate,
Tu poses doucement ton corps sur une natte,
Où tes rêves flottants sont pleins de colibris,
Et toujours, comme toi, gracieux et fleuris.
Pourquoi, l'heureuse enfant, veux-tu voir notre France,
Ce pays trop peuplé que fauche la souffrance,
Et, confiant ta vie aux bras forts des marins,
Faire de grands adieux à tes chers tamarins[1] ?
Toi, vêtue à moitié de mousselines frêles,
Frissonnante là-bas sous la neige et les grêles,
Comme tu pleurerais tes loisirs doux et francs,
Si, le corset brutal emprisonnant tes flancs,
Il te fallait glaner ton souper dans nos fanges
Et vendre le parfum de tes charmes étranges,
L'œil pensif, et suivant, dans nos sales brouillards,
Des cocotiers absents les fantômes épars !

---

1. Tamarinier, grand arbre tropical.

JEAN-CHRISTOPHE RUFIN (né en 1952)
Rouge Brésil (2001)
(Gallimard)

Les événements et la littérature des siècles précédents ont beaucoup alimenté la réflexion du xxᵉ siècle. Ainsi Robinson s'est-il trouvé éclipsé par Vendredi dans Vendredi ou les limbes du Pacifique *de Michel Tournier, les débats suscités par la découverte du Nouveau Monde ont-ils fait l'objet d'une mise en scène romancée mais efficace dans* La Controverse de Valladolid *de Jean-Claude Carrière, et l'expédition française au Brésil, dont Jean de Léry s'est fait le témoin, est-elle au centre du roman de Jean-Christophe Rufin,* Rouge Brésil. *Sans doute n'est-ce pas un hasard si ce sujet a retenu l'attention de l'auteur, médecin humaniste et humanitaire, qui a également signé* L'Empire et les nouveaux barbares. *L'extrait retenu constitue l'incipit du roman, dont l'intrigue ne sera pas davantage dévoilée ici.*

— Imaginez un instant, monseigneur, ce que peut ressentir un homme qui voit bouillir devant lui l'eau où il va cuire.

Sur ces mots, le matelot jeta vers les braises un regard lugubre.

— Menteur! Menteur, cria l'Indien en se redressant.

— Comment donc? Menteur! Vous ne mangez pas vos

semblables, peut-être ? Ou est-ce la recette que tu contestes, malandrin [1] ? Il est vrai, monseigneur, poursuivit le marin en s'adressant de nouveau à l'officier, que les Brésiliens ne procèdent pas tous à la manière de ceux qui m'ont capturé. Certains de ces messieurs «boucanent», voilà le fait, c'est-à-dire qu'ils rôtissent ou si vous préférez qu'ils fument. Le contesteras-tu, pendard ?

Le marin, de sa force malingre mais résolue d'ivrogne, avait saisi l'Indien au pourpoint et collait devant lui son nez luisant. La confrontation dura quelques secondes, chacun perdu de haine dans les yeux de l'autre. Puis, soudain, le matelot relâcha son étreinte, ils partirent tous les deux d'un grand éclat de rire et se serrèrent bruyamment la main. Huit heures sonnaient à la grande tour de la cathédrale de Rouen et le cabaret faisant face au vénérable édifice tremblait de toutes ses poutres à chaque coup.

L'officier, avec son long corps maigre et son visage osseux, paraissait accablé. Ces retrouvailles ne l'attendrissaient nullement. Il avait une mission à remplir et s'impatientait. L'année 1555 était en son milieu et si l'on dépassait trop le mois de juin, les vents ne seraient plus favorables. Du plat de la main, il frappa sur la table.

— Nous sommes au fait, prononça-t-il de sa voix égale, tendue d'une froide menace, du danger des côtes où nous allons aborder. Cependant, notre décision est arrêtée : nous appareillerons dans huit jours pour aller fonder au Brésil une nouvelle France.

Le matelot et l'Indien se redressèrent sur leurs escabelles [2]. Un reste de rire et les images ineffables que le seul mot de Brésil mettait au fond de leurs yeux persistèrent à

---

1. Brigand.
2. Siège bas, sans bras, généralement à trois pieds (souvent synonyme d'escabeau).

leur donner une mimique d'ironie qui n'était peut-être que de songe.

— Nous n'avons pas de temps à perdre, ajouta sèchement l'officier. Oui ou non, acceptez-vous, l'un et l'autre, de rejoindre notre expédition pour y servir d'interprètes auprès des naturels ?

Le matelot, qui appréciait d'être régalé et entendait faire durer ce plaisir, tenta de ruser.

— Monseigneur, susurra-t-il de sa voix d'ivrogne, je vous l'ai dit : des interprètes, vous en trouverez sur place. Cela fait trois générations que nous autres, Normands, allons là-bas chercher ce fameux bois rouge qui donne sa couleur aux toiles des frères Gobelins[1]. Il faut toute l'effronterie des Portugais pour affirmer avoir découvert ce pays quand la vérité est que nous y trafiquons depuis plus longtemps qu'eux.

Comme nul ne l'interrompait, il s'enhardit.

— Vous n'aurez pas abordé depuis deux jours sur ces côtes que vous verrez accourir vers vous vingt gaillards natifs de tous les bourgs d'alentour et qui s'offriront à faire le truchement pour vous.

— Dois-je vous répéter, prononça l'officier avec lassitude, que le chevalier de Villegagnon, qui est le chef de notre expédition, ne veut rien hasarder. Nous emmenons tout ce qui est nécessaire pour fonder un établissement. Nous voulons avoir nos propres interprètes et ne dépendre de personne.

Toute l'attention de l'auberge était fixée sur le couple grotesque du frêle matelot et de l'Indien. Le marin reprit courage le premier, sans doute parce qu'il était accoutumé aux brusques changements d'amures[2].

---

1. Famille champenoise qui, au XVe siècle, établit à Paris une entreprise de teinture. La manufacture des Gobelins produit encore aujourd'hui des tapisseries.
2. Cordages servant à fixer une voile du côté d'où vient le vent.

— Vous nous dites quand vous partez, monseigneur, cela est beau. Mais vous devriez plutôt nous annoncer quand vous comptez retourner.

— Jamais. Il s'agit de peupler une autre province pour le roi. Ceux qui s'embarquent avec nous finiront leurs jours outre-océan. Nous les pourvoirons de tout à profusion mais le mot de retour ne devra plus avoir de sens pour eux. Ils seront simplement de France et la France sera là-bas.

— Êtes-vous déjà allé dans ce pays ? demanda le matelot, les yeux plissés de malice.

— Pas encore, concéda l'officier en mettant du défi dans son regard. Mais j'en connais bien d'autres, en Orient.

Le marin se leva, suspendant à son étroite mâture d'os le peu de chair que la vie lui avait épargné. Il prit un air grave pour déclarer :

— Moi aussi, j'ai navigué en Orient. Une plaisanterie ! Nous y sommes comme chez nous. Les Amériques, c'est autre chose. Quatre fois j'ai fait ce maudit voyage. Toujours vers ce Brésil dont vous parlez de faire une nouvelle France. J'ai tout connu : les fièvres, les cannibales auxquels j'ai finalement échappé par miracle et maintenant ces chiens de Portugais qui nous coupent les mains et les pieds quand ils saisissent nos navires à l'abordage. Où croyez-vous que j'aie puisé la force d'endurer tout cela ?

D'un geste large du bras, qui porta heureusement sa chope jusqu'à ses lèvres, il écarta un invisible argument.

— Ne me parlez pas de richesse ! L'or, les perroquets, les teintures, tout cela engraisse nos armateurs, qui ne bougent pas d'ici. Mais les simples marins, regardez-les : la vie est le seul bien qui leur reste, et encore… Non ! monseigneur, la seule idée qui nous donne le courage de passer tous ces tourments — et, ce disant, il jeta un regard subreptice vers l'Indien comme si le pauvre eût été la cause de tout ce qu'il avait enduré aux Amériques —, c'est l'espoir de revenir ici.

Posant les deux poings sur la table, le marin mit toute sa force dans le dernier morceau de sa péroraison[1].

— Je suis bien marri de vous décevoir, conclut-il. Mais tant vaut que vous entendiez tout de suite ma réponse catégorique : je ne partirai pas.

L'officier se mordit la lèvre. En d'autres circonstances, il aurait rossé ce coquin buté. Mais s'il le faisait, tous les hommes libres de l'équipage tireraient leurs grègues[2] dès le lendemain. Restait donc l'Indien. Celui-ci comprit, avec retard, à quelle fureur il allait être livré par ce premier refus. Tous les regards étaient maintenant tournés vers lui.

Malgré la chaleur de cette fin de printemps, il tenait strictement fermés tous ses boutons jusqu'au ras du col et aux manches. Cette précaution n'était ni de confort ni de coquetterie mais naissait d'une crainte secrète : celle de ne pas savoir jusqu'où la bienséance autorisait à se dégrafer. Pendant les mois qui avaient suivi son arrivée en France, le malheureux s'était rendu coupable de plusieurs audaces en cette matière, dévoilant en public ses parties les plus intimes avec l'innocente intention d'y apporter de la fraîcheur. On s'était beaucoup moqué de lui.

Les cœurs charitables auraient pu lui trouver des excuses. Capturé par ses ennemis tandis qu'il combattait dans les forêts du Brésil, il avait été racheté par des marins français au nombre desquels figurait celui qui était aujourd'hui assis à ses côtés. Dans l'idée d'honorer le roi Henri II, qui avait annoncé sa prochaine visite en Normandie, des négociants de cette province l'avaient expédié jusqu'en France en

---

1. Conclusion ou dernière partie d'un discours (terme de rhétorique).
2. Chausses allant à mi-cuisse. Tirer ses grègues : s'enfuir.

compagnie d'une cinquantaine de ses semblables. Sitôt débarqué à Rouen, on lui avait demandé de danser devant le roi et la reine, couvert des seules plumes dans l'appareil desquelles il avait été capturé. S'étant montré nu devant un roi, il avait mal compris dans la suite pourquoi on lui commandait de se couvrir en présence de l'ordinaire des Français.

— Eh bien? demanda rudement l'officier pour rompre le silence que l'Indien peuplait d'un halètement indécis.

Le malheureux était livré à un terrible combat. L'évocation du Brésil ramenait en lui des images de forêts, de danses et de chasses. La couleur du ciel d'Amérique, de ses feuillages et de ses oiseaux lavait son âme de tout le gris dont le quotidien de Rouen l'avait saturé. Et pourtant il était amoureux de cette ville depuis ce premier jour où il avait dansé devant les souverains sous une pluie aigrelette de printemps qui se mêlait voluptueusement à sa sueur. Captif, il s'était cru mort. Ensuite, il avait éprouvé, dans une France qui se parait elle-même de ce joli mot, une Renaissance. Libéré, avec ses congénères, sur ordre de Catherine de Médicis [1], il avait erré par les rues à Rouen. Un après-midi, allongé à l'ombre de la tour Nord, il avait été remarqué par une robuste Normande dont le père était un barbier prospère. Elle fit tant que ses parents acceptèrent de recueillir l'Indien, le vêtirent, le nourrirent. Et un beau jour, on les maria, en compagnie de quatre autres couples de même nature, que leur exemple avait contribué à former.

L'image de sa douce femme, avec ses joues rouges de santé, apparut à l'esprit de l'Indien et vint lui donner la force d'écarter la séduisante idée d'un retour dans ses forêts.

---

1. Catherine de Médicis (1519-1589) : femme d'Henri II, mère des rois François II, Charles IX et Henri III, elle fut régente de 1560 à 1563 et son influence politique fut importante.

— Non! prononça-t-il simplement.

C'était sobre, et la mauvaise pratique qu'il avait du français ne lui permettait guère d'en dire plus. Mais l'ardeur qu'il avait mise dans ce seul mot, son air soudain farouche montraient assez que rien ne le pourrait fléchir.

L'officier, épuisé par ces mois de préparatifs, voyait avec accablement se dresser cet ultime obstacle. Il n'était pas loin d'être saisi par le découragement, et son maintien, le dos voûté, un bras pendant, la tête basse, en était la claire expression.

L'auberge était tout occupée par cette affaire. Il s'y comptait des marins en grand nombre et tous avaient suivi en silence la conversation ; des discussions à voix basse marquaient le désir que chacun avait d'émettre son avis sur le sujet. Tout à coup, d'une table située près du fond, dans le coin le plus obscur et le plus froid, un homme seul auquel personne n'avait pris garde rompit d'un coup le clapot [1] des murmures et planta au milieu de la scène les quatre mots qui allaient décider de tout.

— Emmenez donc des enfants, dit-il.

---

1. Agitation de l'eau.

CLAUDE LÉVI-STRAUSS (né en 1908)

Race et Histoire (1952)

Chapitre III : « L'ethnocentrisme »

(Denoël, repris en « Folioplus philosophie » n° 102)

Mais l'auteur qui s'est sans doute le plus nourri des réflexions menées aux XVIᵉ et XVIIIᵉ siècles est un anthropologue, Claude Lévi-Strauss, qui est longuement revenu, dans ses textes, sur sa dette envers Montaigne, Jean de Léry ou Rousseau. Le texte retenu offre un aperçu de la densité de sa pensée.

Il semble que la diversité des cultures soit rarement apparue aux hommes pour ce qu'elle est : un phénomène naturel, résultant des rapports directs ou indirects entre les sociétés ; ils y ont plutôt vu une sorte de monstruosité ou de scandale ; dans ces matières, le progrès de la connaissance n'a pas tellement consisté à dissiper cette illusion au profit d'une vue plus exacte qu'à l'accepter ou à trouver le moyen de s'y résigner.

L'attitude la plus ancienne, et qui repose sans doute sur des fondements psychologiques solides puisqu'elle tend à réapparaître chez chacun de nous quand nous sommes placés dans une situation inattendue, consiste à répudier purement et simplement les formes culturelles, morales, religieuses, sociales, esthétiques, qui sont les plus éloignées de celles auxquelles nous nous identifions. « Habitudes de sauvages », « cela n'est pas de chez nous », « on ne devrait pas permettre cela », etc., autant de réactions grossières qui traduisent ce même frisson, cette même répulsion, en présence de manières de vivre, de croire ou de penser qui nous sont étrangères. Ainsi l'Antiquité confondait-elle tout ce qui ne participait pas de la culture grecque (puis gréco-romaine) sous le même nom de barbare ; la civilisation occidentale a ensuite utilisé le terme de sauvage dans le même sens. Or derrière ces épithètes se dissimule un même jugement : il est probable que le mot barbare se réfère étymologiquement à la confusion et à l'inarticulation du chant des oiseaux, opposées à la valeur signifiante du langage humain ; et sauvage, qui veut dire « de la forêt », évoque aussi un genre de vie animale, par opposition à la culture humaine. Dans les deux cas, on refuse d'admettre le fait même de la diversité culturelle ; on préfère rejeter hors de la culture, dans la nature, tout ce qui ne se conforme pas à la norme sous laquelle on vit.

Ce point de vue naïf, mais profondément ancré chez la plupart des hommes [...] recèle un paradoxe assez significatif. Cette attitude de pensée, au nom de laquelle on rejette les « sauvages » (ou tous ceux qu'on choisit de considérer comme tels) hors de l'humanité, est justement l'attitude la plus marquante et la plus distinctive de ces sauvages mêmes. On sait, en effet, que la notion d'humanité, englobant, sans distinction de race ou de civilisation, toutes les formes de l'espèce humaine, est d'apparition fort tardive et d'expansion limitée. Là même où elle semble avoir atteint son plus haut développement, il n'est nullement certain — l'histoire récente le prouve — qu'elle soit établie à l'abri des équivoques ou des régressions. Mais, pour de vastes fractions de l'espèce humaine et pendant des dizaines de millénaires, cette notion paraît être totalement absente. L'humanité cesse aux frontières de la tribu, du groupe linguistique, parfois même du village ; à tel point qu'un grand nombre de populations dites primitives se désignent d'un nom qui signifie les « hommes » (ou parfois — dirons-nous avec plus de discrétion — les « bons », les « excellents », les « complets »), impliquant ainsi que les autres tribus, groupes ou villages ne participent pas des vertus — ou même de la nature — humaines, mais sont tout au plus composés de « mauvais », de « méchants », de « singes de terre » ou d'« œufs de pou ». On va souvent jusqu'à priver l'étranger de ce dernier degré de réalité en en faisant un « fantôme » ou une « apparition ». Ainsi se réalisent de curieuses situations où deux interlocuteurs se donnent cruellement la réplique. Dans les Grandes Antilles, quelques années après la découverte de l'Amérique, pendant que les Espagnols envoyaient des commissions d'enquête pour rechercher si les indigènes possédaient ou non une âme, ces derniers s'employaient à immerger des blancs prisonniers afin de vérifier par une surveillance prolongée si leur cadavre était, ou non, sujet à la putréfaction.

Cette anecdote à la fois baroque et tragique illustre bien le paradoxe du relativisme culturel (que nous retrouverons ailleurs sous d'autres formes) : c'est dans la mesure même où l'on prétend établir une discrimination entre les cultures et les coutumes que l'on s'identifie le plus complètement avec celles qu'on essaye de nier. En refusant l'humanité à ceux qui apparaissent comme les plus « sauvages » ou « barbares » de ses représentants, on ne fait que leur emprunter une de leurs attitudes typiques. Le barbare, c'est d'abord l'homme qui croit à la barbarie.

Sans doute les grands systèmes philosophiques et religieux de l'humanité — qu'il s'agisse du bouddhisme, du christianisme ou de l'islam, des doctrines stoïcienne, kantienne ou marxiste — se sont-ils constamment élevés contre cette aberration. Mais la simple proclamation de l'égalité naturelle entre tous les hommes et de la fraternité qui doit les unir, sans distinction de races ou de cultures, a quelque chose de décevant pour l'esprit, parce qu'elle néglige une diversité de fait, qui s'impose à l'observation et dont il ne suffit pas de dire qu'elle n'affecte pas le fond du problème pour que l'on soit théoriquement et pratiquement autorisé à faire comme si elle n'existait pas. Ainsi le préambule à la seconde déclaration de l'Unesco sur le problème des races remarque judicieusement que ce qui convainc l'homme de la rue que les races existent, c'est l'« évidence immédiate de ses sens quand il aperçoit ensemble un Africain, un Européen, un Asiatique et un Indien américain ».

Les grandes déclarations des droits de l'homme ont, elles aussi, cette force et cette faiblesse d'énoncer un idéal trop souvent oublieux du fait que l'homme ne réalise pas sa nature dans une humanité abstraite, mais dans des cultures traditionnelles où les changements les plus révolutionnaires laissent subsister des pans entiers et s'expliquent eux-mêmes en fonction d'une situation strictement définie dans le temps et dans l'espace. Pris entre la double tentation de condamner des expériences qui le heurtent affectivement, et de nier des différences qu'il ne comprend pas intellectuellement, l'homme moderne s'est livré à cent spéculations philosophiques et sociologiques pour établir de vains compromis entre ces pôles contradictoires, et rendre compte de la diversité des cultures tout en cherchant à supprimer ce qu'elle conserve pour lui de scandaleux et de choquant.

ALBERT MEMMI (né en 1920)

Portrait du colonisé (1957)

Extrait de la préface de 1966

(« Folio actuel » n° 97)

Ce regain d'intérêt, et ce questionnement sur les siècles qui ont vu la conquête des Nouveaux Mondes par les puissances européennes ne sont pas dus au hasard : les années qui suivent la Seconde Guerre mondiale voient s'amorcer un processus de décolonisation qui ne va pas sans heurt, et qui soulève de vastes questions — lesquelles ne sont pas closes, comme l'ont montré les réactions suscitées par la loi du 23 février 2005, dont l'article 4 mentionnait « le rôle positif de la présence française outre-mer » — quant aux résultats pour le moins ambivalents de cette conquête.

Aux évocations d'un Céline (Voyage au bout de la nuit) *ou d'un André Gide* (Voyage au Congo, Retour du Tchad)*, antérieures à ce processus de décolonisation, on préférera ici le point de vue du colonisé : d'abord une réflexion menée après coup par l'auteur de* Portrait du colonisé. Portrait du colonisateur, *qui démonte remarquablement les mécanismes complexes du sentiment colonial ; puis la puissance rhétorique d'un Aimé Césaire pourfendant la colonisation.*

En tout cas, je n'avais pas le dessein, à l'époque, de peindre ni tous les opprimés, ni même tous les colonisés. J'étais tunisien et donc colonisé. Je découvrais que peu d'aspects de ma vie et de ma personnalité n'avaient pas été affectés par cette donnée. Pas seulement ma pensée, mes propres passions et ma conduite, mais aussi la conduite des autres à mon égard. [...] Bref, j'ai entrepris cet inventaire de la condition du colonisé d'abord pour me comprendre moi-même et identifier ma place au milieu des autres hommes. Ce furent mes lecteurs, qui étaient loin d'être tous des Tunisiens, qui m'ont convaincu plus tard que ce portrait était également le leur. Ce sont les voyages, les conversations, les confrontations et les lectures qui me confirmèrent, au fur et à mesure que j'avançais, que ce que j'avais décrit était le lot d'une multitude d'hommes à travers le monde.

Je découvrais du même coup, en somme, que tous les colonisés se ressemblaient ; je devais constater par la suite que tous les opprimés se ressemblaient en quelque mesure. Je n'en étais pas encore là et, par prudence autant que parce que j'avais d'autres soucis en tête, je préférais surseoir à cette conclusion que je tiens aujourd'hui pour indéniable. Mais tant de gens divers se reconnaissaient dans ce portrait, que je ne pouvais plus prétendre qu'il fût seulement le mien, ou celui du seul colonisé tunisien ou même nord-africain. Un peu partout, me rapportait-on, les polices coloniales saisissaient le livre dans les cellules des militants colonisés. Je ne leur apportais rien d'autre, j'en suis persuadé, qu'ils ne sussent déjà, qu'ils n'eussent déjà vécu. Mais reconnaissant leurs propres émotions, leurs révoltes et leurs revendications, elles leur apparaissaient, je suppose, plus légitimes. Et surtout, quelle que fût la fidélité de cette description de notre expérience commune, elle les a moins frappés, peut-être, que la cohérence que je leur en proposai. [...]

Car je veux continuer à penser, malgré tout, que ce qui fait le prix de cette entreprise, à mes yeux tout au moins, c'est sa modestie, sa particularité initiales. De sorte que rien dans ce texte n'est inventé ou supposé, ou même extrapolé[1] hasardeusement. Il s'agit toujours d'une expérience, mise en forme et stylisée, mais toujours sous-jacente derrière chaque phrase. Et si j'ai consenti finalement à cette allure générale qu'elle a fini par prendre, c'est précisément parce que je sais que je pourrais, à toute ligne, à chaque mot, faire correspondre des faits multiples et parfaitement concrets.

Ainsi, l'on m'a reproché de ne pas avoir entièrement bâti mes portraits sur une structure économique. La notion de *privilège*, je l'ai pourtant assez répété, est au cœur de la relation coloniale. Privilège économique, sans nul doute ; et je saisis l'occasion pour le réaffirmer ici fortement : l'aspect économique de la colonisation est pour moi fondamental. Le livre ne s'ouvre-t-il pas par une dénonciation d'une prétendue mission morale ou culturelle de la colonisation et par montrer que la notion de profit y est essentielle ? N'ai-je pas souvent souligné que de nombreuses *carences* du colonisé sont les résultats presque directs des *avantages* qu'y trouve le colonisateur ? Ne voyons-nous pas aujourd'hui encore certaines décolonisations s'effectuer si péniblement parce que l'ex-colonisateur n'a pas réellement renoncé à ses privilèges et qu'il essaye sournoisement de les rattraper ? Mais *le privilège colonial n'est pas uniquement économique.* Quand on regarde vivre le colonisateur et le colonisé, on découvre vite que l'humiliation quotidienne du colonisé, et son écrasement objectif, ne sont pas seulement économiques ; le triomphe permanent du colonisateur n'est pas seulement économique. Le petit colonisateur, le colonisateur pauvre se croyait tout de même, et en un sens l'était réellement, supérieur au colonisé ; objectivement, et non

---

1. Déduit, à partir d'éléments observables, des éléments qui échappent à l'expérience humaine.

seulement dans son imagination. Et cela faisait également partie du privilège colonial. La découverte marxiste de l'importance de l'économie dans toute relation oppressive n'est pas en cause. Mais cette relation contient d'autres traits, que j'ai cru découvrir dans la relation coloniale.

Mais, dira-t-on encore : en *dernière analyse* tous ces phénomènes ne reviennent-ils pas à un aspect économique plus on moins caché ; on encore, l'aspect économique n'est-il pas le facteur premier, moteur, de la colonisation ? Peut-être ; ce n'est même pas sûr. Au fond, nous ne savons pas tout à fait ce qu'est l'homme en définitive, ce qui est l'essentiel pour lui, si c'est l'argent ou le sexe, ou l'orgueil, si la psychanalyse a raison contre le marxisme, ou si cela dépend des individus et des sociétés. Et de toute manière, avant d'en arriver à cette analyse dernière, j'ai voulu montrer toute la complexité du réel vécu par le colonisé et par le colonisateur. La psychanalyse comme le marxisme ne doivent pas, sous prétexte d'avoir découvert le ressort, ou l'un des ressorts fondamentaux de la conduite humaine, souffler tout le vécu humain, tous les sentiments, toutes les souffrances, tous les détours de la conduite, pour n'y voir que la recherche du profit ou le complexe d'Œdipe.

Je prendrai encore un exemple, qui va probablement me desservir, (mais c'est ainsi que je conçois mon rôle d'écrivain : même contre mon propre personnage.) Ce portrait du colonisé, qui est donc beaucoup le mien, est précédé d'un portrait du colonisateur. Comment me suis-je alors permis, avec un tel souci de l'expérience vécue, de tracer également le portrait de l'adversaire ? Voici un aveu que je n'ai pas encore fait : en vérité, je connaissais presque aussi bien, et de l'intérieur, le colonisateur. Je m'explique : j'ai dit que j'étais de nationalité tunisienne ; comme tous les autres Tunisiens, j'étais donc traité en citoyen de seconde zone, privé de droits politiques, interdit d'accès à la plupart des administrations, bilingue de culture longtemps incertaine, etc. — bref, que l'on se reporte au portrait du colonisé. Mais je n'étais pas musulman. Ce qui, dans un pays où tant de groupes humains voisinaient, mais chacun jaloux étroitement de sa physionomie propre, avait une signification considérable. Si j'étais indéniablement un indigène, comme on disait alors, aussi près que possible du musulman, par l'insupportable misère de nos pauvres, par la langue maternelle (ma propre mère n'a jamais appris le français), par la sensibilité et les mœurs, le goût pour la même musique et les mêmes parfums, par une cuisine presque identique, j'ai tenté passionnément de m'identifier au Français. Dans un grand élan qui m'emportait vers l'Occident, qui me paraissait le parangon [1] de toute civilisation et de toute culture véritables, j'ai d'abord tourné allègrement le dos à l'Orient, choisi irrévocablement la langue française, me suis habillé à l'italienne et ai adopté avec délices jusqu'aux tics des Européens. (En quoi d'ailleurs, j'essayais de réaliser l'une des ambitions de tout colonisé, avant qu'il ne passe à la révolte.) Mieux encore, ou pire, comme l'on veut, dans cette *pyramide de tyranneaux,* que j'ai essayé de décrire, et qui constitue le squelette de toute société coloniale, nous nous sommes trouvés juste à un degré plus élevé que nos concitoyens musulmans. Nos privilèges étaient dérisoires mais ils suffisaient à nous donner quelque vague orgueil et à nous faire espérer que nous n'étions plus assimilables à la masse des colonisés musulmans qui forme la base dernière de la pyramide. Ce qui, soit dit en passant, n'a guère facilité non plus mes relations avec les miens lorsque je me suis avisé de soutenir les colonisés. Bref, s'il m'a paru tout de même nécessaire de dénoncer la colonisation, bien qu'elle n'ait pas été aussi pesante pour les miens, à cause de cela cependant,

---

1. Modèle.

j'ai connu ces mouvements contradictoires qui ont agité leurs âmes. Mon propre cœur ne battait-il pas à la vue du petit drapeau bleu-blanc-rouge des bateaux de la Compagnie Générale Transatlantique qui reliaient à Marseille le port de Tunis ?

Tout cela pour dire que ce portrait du colonisateur était en partie aussi le mien ; un portrait projeté, mettons, au sens des géomètres. Celui du colonisateur bienveillant en particulier, je me suis inspiré, pour le tracer, d'un groupe de professeurs de philosophie de Tunis, mes collègues et amis, dont la générosité était hors de doute ; mais leur impuissance également, hélas, leur impossibilité de se faire entendre de qui que ce soit en colonie. Or, c'était parmi eux que je me sentais le mieux. Alors que je m'évertuais à démonter les mythes proposés par la colonisation, pouvais-je approuver complaisamment les contre-mythes surgis au sein du colonisé ? Je ne pouvais que sourire avec eux devant son affirmation, mal assurée, il est vrai, que la musique andalouse était la plus belle du monde ; ou au contraire, que l'Européen était foncièrement dur et méchant : à preuve la manière dont il rudoyait ses enfants. Mais le résultat en était la suspicion du colonisé, malgré leur immense bonne volonté à son égard, et alors qu'ils étaient honnis déjà par la communauté française. Or tout cela, je ne le connaissais que trop ; leurs difficultés, leur ambiguïté nécessaire et l'isolement qui en découlait, et le plus grave : leur inefficacité devant l'action, étaient largement mon lot. (Je me fis un jour disputer avec aigreur pour avoir jugé inutile et dangereux de propager le bruit, qui avait gagné la Medina[1], que le représentant de la France était atteint de folie furieuse.)

Irais-je plus loin ? Au fond, même le Pied-Noir, le plus

---

1. Ce terme désigne la ville ancienne dans les pays du Maghreb.

simple de sentiments et de pensée, je le comprenais, si je ne l'approuvais pas. Un homme est ce que fait de lui sa condition objective, je l'ai assez répété. Si j'avais bénéficié davantage de la colonisation, me disais-je, aurais-je réellement réussi à la condamner aussi vigoureusement ? Je veux espérer que oui ; mais d'en avoir souffert à peine moins que les autres m'a déjà rendu plus compréhensif. Bref, le Pied-Noir, le plus têtu, le plus aveugle, a été en somme mon frère à la naissance. La vie nous a traités différemment ; il était reconnu fils légitime de la Métropole, héritier du privilège, qu'il allait défendre à n'importe quel prix, même le plus scandaleux ; j'étais une espèce de métis de la colonisation, qui comprenait tout le monde parce qu'il n'était totalement de personne.

AIMÉ CÉSAIRE (1913-2008)

Discours sur le colonialisme (1950)

(Présence africaine)

Et puisque aujourd'hui il m'est demandé de parler de la colonisation et de la civilisation, allons droit au mensonge principal à partir duquel prolifèrent tous les autres.

Colonisation et civilisation ?

La malédiction la plus commune en cette matière est d'être la dupe de bonne foi d'une hypocrisie collective, habile à mal poser les problèmes pour mieux légitimer les odieuses solutions qu'on leur apporte.

Cela revient à dire que l'essentiel est ici de voir clair, de penser clair, entendre dangereusement, de répondre clair à l'innocente question initiale : qu'est-ce en son principe que la colonisation ? De convenir de ce qu'elle n'est point ; ni évangélisation, ni entreprise philanthropique [1], ni volonté de reculer les frontières de l'ignorance, de la maladie, de la tyrannie, ni élargissement de *Dieu*, ni extension du *Droit* ; d'admettre une fois pour toutes, sans volonté de broncher aux conséquences, que le geste décisif est ici de l'aventurier et du pirate, de l'épicier en grand et de l'armateur, du chercheur d'or et du marchand, de l'appétit et de la force, avec, derrière, l'ombre portée, maléfique, d'une forme de civilisation qui, à un moment de son histoire, se constate

---

1. Faite par amour des hommes.

obligée, de façon interne, d'étendre à l'échelle mondiale la concurrence de ses économies antagonistes.

Poursuivant mon analyse, je trouve que l'hypocrisie est de date récente ; que ni Cortez découvrant Mexico du haut du grand *téocalli* [1], ni Pizarre devant Cuzco (encore moins Marco Polo devant *Cambaluc*), ne protestent d'être les fourriers [2] d'un ordre supérieur ; qu'ils tuent ; qu'ils pillent ; qu'ils ont des casques, des lances, des cupidités ; que les baveurs sont venus plus tard ; que le grand responsable dans ce domaine est le pédantisme [3] chrétien, pour avoir posé les équations malhonnêtes : *christianisme = civilisation* ; *paganisme = sauvagerie*, d'où ne pouvaient que s'ensuivre d'abominables conséquences colonialistes et racistes, dont les victimes devaient être les Indiens, les Jaunes, les Nègres.

Cela réglé, j'admets que mettre les civilisations différentes en contact les unes avec les autres est bien ; que marier des mondes différents est excellent ; qu'une civilisation, quel que soit son génie intime, à se replier sur elle-même, s'étiole ; que l'échange est ici l'oxygène, et que la grande chance de l'Europe est d'avoir été un carrefour, et que, d'avoir été le lieu géométrique de toutes les idées, le réceptacle de toutes les philosophies, le lieu d'accueil de tous les sentiments en a fait le meilleur redistributeur d'énergie.

Mais alors je pose la question suivante : la colonisation a-t-elle vraiment *mis en contact* ? Ou, si l'on préfère, de toutes les manières d'*établir le contact*, était-elle la meilleure ?

Je réponds *non*.

Et je dis que de la *colonisation* à la *civilisation*, la distance est infinie ; que, de toutes les expéditions coloniales accu-

---

1. Pyramide surmontée d'un temple au Mexique.
2. Avant-coureurs.
3. Affectation d'érudition.

mulées, de tous les statuts coloniaux élaborés, de toutes les circulaires ministérielles expédiées, on ne saurait réussir une seule valeur humaine.

Il faudrait d'abord étudier comment la colonisation travaille à *déciviliser* le colonisateur, à l'*abrutir* au sens propre du mot, à le dégrader, à le réveiller aux instincts enfouis, à la convoitise, à la violence, à la haine raciale, au relativisme moral, et montrer que, chaque fois qu'il y a au Viêt-nam une tête coupée et un œil crevé et qu'en France on accepte, une fillette violée et qu'en France on accepte, un Malgache supplicié et qu'en France on accepte, il y a un acquis de la civilisation qui pèse de son poids mort, une régression universelle qui s'opère, une gangrène qui s'installe, un foyer d'infection qui s'étend et qu'au bout de tous ces traités violés, de tous ces mensonges propagés, de toutes ces expéditions punitives tolérées, de tous ces prisonniers ficelés et « interrogés », de tous ces patriotes torturés, au bout de cet orgueil racial encouragé, de cette jactance¹ étalée, il y a le poison instillé dans les veines de l'Europe, et le progrès lent, mais sûr, de l'*ensauvagement* du continent.

Et alors, un beau jour, la bourgeoisie est réveillée par un formidable choc en retour : les gestapos s'affairent, les prisons s'emplissent, les tortionnaires inventent, raffinent, discutent autour des chevalets.

On s'étonne, on s'indigne. On dit : « Comme c'est curieux ! Mais, bah ! C'est le nazisme, ça passera ! » Et on attend, et on espère ; et on se tait à soi-même la vérité, que c'est une barbarie, mais la barbarie suprême, celle qui couronne, celle qui résume la quotidienneté des barbaries ; que c'est du nazisme, oui, mais qu'avant d'en être la victime, on en a été le complice ; que ce nazisme-là, on l'a supporté

---

1. Attitude arrogante.

avant de le subir, on l'a absous, on a fermé l'œil là-dessus, on l'a légitimé, parce que, jusque-là, il ne s'était appliqué qu'à des peuples non européens ; que ce nazisme-là, on l'a cultivé, on en est responsable, et qu'il sourd, qu'il perce, qu'il goutte, avant de l'engloutir dans ses eaux rougies de toutes les fissures de la civilisation occidentale et chrétienne.

Oui, il vaudrait la peine d'étudier, cliniquement, dans le détail, les démarches d'Hitler et de l'hitlérisme et de révéler au très distingué, très humaniste, très chrétien bourgeois du xxᵉ siècle qu'il porte en lui un Hitler qui s'ignore, qu'un Hitler l'*habite*, qu'Hitler est son *démon*, que s'il le vitupère [1] c'est par manque de logique, et qu'au fond, ce qu'il ne pardonne pas à Hitler, ce n'est pas *le crime* en soi, *le crime contre l'homme*, ce n'est pas *l'humiliation de l'homme en soi*, c'est le crime contre l'homme blanc, c'est l'humiliation de l'homme blanc, et d'avoir appliqué à l'Europe des procédés colonialistes dont ne relevaient jusqu'ici que les Arabes d'Algérie, les coolies [2] de l'Inde et les nègres d'Afrique.

Et c'est là le grand reproche que j'adresse au pseudo-humanisme : d'avoir trop longtemps rapetissé les droits de l'homme, d'en avoir eu encore une conception étroite et parcellaire, partielle et partiale et, tout compte fait, sordidement raciste.

J'ai beaucoup parlé d'Hitler. C'est qu'il le mérite : il permet de voir gros et de saisir que la société capitaliste, à son stade actuel, est incapable de fonder un droit des gens, comme elle s'avère impuissante à fonder une morale individuelle. Qu'on le veuille ou non : au bout du cul-de-sac Europe, je veux dire l'Europe d'Adenauer, de Schuman,

---

1. Blâme fortement.
2. En Asie, personne qui s'engageait comme travailleur salarié dans une colonie.

Bidault et quelques autres[1], il y a Hitler. Au bout du capitalisme, désireux de se survivre, il y a Hitler. Au bout de l'humanisme formel et du renoncement philosophique, il y a Hitler.

[...]

Où veux-je en venir ? À cette idée : que nul ne colonise innocemment, que nul non plus ne colonise impunément ; qu'une nation qui colonise, qu'une civilisation qui justifie la colonisation — donc la force — est déjà une civilisation malade, une civilisation moralement atteinte, qui, irrésistiblement, de conséquence en conséquence, de reniement en reniement, appelle son Hitler, je veux dire son châtiment.

Colonisation : tête de pont dans une civilisation de la barbarie d'où, à n'importe quel moment, peut déboucher la négation pure et simple de la civilisation.

J'ai relevé dans l'histoire des expéditions coloniales quelques traits que j'ai cités ailleurs tout à loisir.

Cela n'a pas eu l'heur de plaire à tout le monde. Il paraît que c'est tirer de vieux squelettes du placard. Voire !

Était-il inutile de citer le colonel de Montagnac, un des conquérants de l'Algérie :

«Pour chasser les idées qui m'assiègent quelquefois, je fais couper des têtes, non pas des têtes d'artichauts, mais bien des têtes d'hommes. »

Convenait-il de refuser la parole au comte d'Herisson :

«Il est vrai que nous rapportons un plein baril d'oreilles récoltées, paire à paire, sur les prisonniers, amis ou ennemis. »

Fallait-il refuser à Saint-Arnaud le droit de faire sa profession de foi barbare :

---

1. Hommes politiques allemand et français qui jouèrent un rôle important dans la construction européenne d'après la Seconde Guerre mondiale.

« On ravage, on brûle, on pille, on détruit les maisons et les arbres. »

Fallait-il empêcher le maréchal Bugeaud de systématiser tout cela dans une théorie audacieuse et de se revendiquer des grands ancêtres :

« Il faut une grande invasion en Afrique qui ressemble à ce que faisaient les Francs, à ce que faisaient les Goths. »

Fallait-il rejeter dans les ténèbres de l'oubli le fait d'armes mémorable du commandant Gérard et se taire sur la prise d'Ambike, une ville qui, à vrai dire, n'avait jamais songé à se défendre :

« Les tirailleurs n'avaient ordre de tuer que les hommes, mais on ne les retint pas ; enivrés de l'odeur du sang, ils n'épargnèrent pas une femme, pas un enfant... À la fin de l'après-midi, sous l'action de la chaleur, un petit brouillard s'éleva : c'était le sang des cinq mille victimes, l'ombre de la ville, qui s'évaporait au soleil couchant. »

Oui ou non, ces faits sont-ils vrais ? Et les voluptés sadiques, les innombrables jouissances qui vous frisselisent [1] la carcasse de Loti quand il tient au bout de sa lorgnette d'officier un bon massacre d'Annamites ? Vrai ou pas vrai[*] ? Et si ces faits sont vrais, comme il n'est au pouvoir de personne de le nier, dira-t-on, pour les minimiser, que ces cadavres ne prouvent rien ?

---

1. Faire un friselis, un léger mouvement.

* Note d'Aimé Césaire : Il s'agit du récit de la prise de Thouan-An paru dans *Le Figaro* en septembre 1883 et cité dans le livre de Nicolas Serban : *Loti, sa vie, son œuvre.* « Alors la grande tuerie avait commencé. On avait fait des feux de salve-deux ! et c'était plaisir de voir ces gerbes de balles, si facilement dirigeables, s'abattre sur eux deux fois par minute, au commandement, d'une manière méthodique et sûre... On en voyait d'absolument fous, qui se relevaient pris d'un vertige de courir... Ils faisaient en zigzag et tout de travers cette course de la mort, se retroussant jusqu'aux reins d'une manière comique... et puis on s'amusait à compter les morts... », etc.

Pour ma part, si j'ai rappelé quelques détails de ces hideuses boucheries, ce n'est point par délectation morose, c'est parce que je pense que ces têtes d'hommes, ces récoltes d'oreilles, ces maisons brûlées, ces invasions gothiques, ce sang qui fume, ces villes qui s'évaporent au tranchant du glaive, on ne s'en débarrassera pas à si bon compte. Ils prouvent que la colonisation, je le répète, déshumanise l'homme même le plus civilisé; que l'action coloniale, l'entreprise coloniale, la conquête coloniale, fondée sur le mépris de l'homme indigène et justifiée par ce mépris, tend inévitablement à modifier celui qui l'entreprend; que le colonisateur, qui, pour se donner bonne conscience, s'habitue à voir dans l'autre *la bête*, s'entraîne à le traiter en bête, tend objectivement à se transformer lui-même *en bête*. C'est cette action, ce choc en retour de la colonisation qu'il importait de signaler.

[...]

Mais parlons des colonisés.

Je vois bien ce que la colonisation a détruit : les admirables civilisations indiennes et que ni Deterding, ni Royal Dutch, ni Standard Oil [1] ne me consoleront jamais des Aztèques et des Incas.

Je vois bien celles — condamnées à terme — dans lesquelles elle a introduit un principe de ruine : Océanie, Nigeria, Nyassaland [2]. Je vois moins bien ce qu'elle a apporté.

Sécurité ? Culture ? Juridisme ? En attendant, je regarde et je vois, partout où il y a, face à face, colonisateurs et colonisés, la force, la brutalité, la cruauté, le sadisme, le heurt et, en parodie de la formation culturelle, la fabrication hâtive de quelques milliers de fonctionnaires subalternes, de boys,

---

1. Compagnies pétrolières.
2. Nom colonial du Malawi jusqu'en 1964.

d'artisans, d'employés de commerce et d'interprètes nécessaires à la bonne marche des affaires.

J'ai parlé de contact.

Entre colonisateur et colonisé, il n'y a de place que pour la corvée, l'intimidation, la pression, la police, l'impôt, le vol, le viol, les cultures obligatoires, le mépris, la méfiance, la morgue, la suffisance, la muflerie, des élites décérébrées, des masses avilies.

Aucun contact humain, mais des rapports de domination et de soumission qui transforment l'homme colonisateur en pion, en adjudant, en garde-chiourme, en chicote[1] et l'homme indigène en instrument de production.

À mon tour de poser une équation : *colonisation = chosification*.

---

1. Fouet à lanières nouées.

ROBERT ANTELME (1917-1990)
« Vengeance ? » (1945)
(Farrago, 2005)

*On sera sensible au rapprochement opéré par Aimé Césaire
entre la colonisation et le nazisme, dont furent victimes des millions d'hommes, de femmes et d'enfants. Parmi eux un jeune
résistant, Robert Antelme, arrêté par la Gestapo en juin 1944.
Déporté à Buchenwald, puis à Dachau, il fut sauvé de justesse :
Marguerite Duras a raconté dans* La Douleur *les terribles
circonstances de son retour. En 1946, il entreprend d'écrire*
L'Espèce humaine, *récit sobre et lucide sur son expérience des
camps (au cours de laquelle la seule revendication qui tînt fut
de « rester, jusqu'au bout, des hommes »), où s'entremêlent
constamment l'affirmation de l'indivisibilité de l'espèce humaine
et cette question : « Qui est "Autrui" ? » Dès novembre 1945, il
écrit un article sur les conditions faites à certains prisonniers de
guerre allemands sur le territoire français, article qui, soulignent
ses éditeurs, « en tant que témoignage d'un homme qui surmonte
la haine, méritait d'être publié ».*

Il n'y a pas de problème : le prisonnier est un être sacré
parce que c'est un être livré et qu'il a perdu toutes ses
chances. Si cet homme s'est rendu personnellement responsable d'actes criminels, il doit être jugé, et s'il est
condamné à mort, il a des droits afférents à la règle des

condamnés à mort; l'exécution devant être un acte net, conséquence directe du jugement, rien ne peut être « ajouté » et rien ne doit être subi par le condamné en marge de ce déroulement linéaire. La barbarie c'est ce que quiconque y ajoute.

Les prisonniers de guerre allemands, dans leur grande majorité, ne sont pas des criminels; n'étant passibles d'aucun jugement, ils relèvent simplement du statut des prisonniers admis par toutes les nations, et risquent précisément d'être soumis à des actes ajoutés. Cela s'est produit en France. Pas un instant on ne doit douter que nous le condamnions absolument. Le contenu de cette condamnation n'est pas simple et c'est de cette complexité que nous voudrions rendre compte.

Nous ne voulons pas écrire une ligne qui ne puisse être comprise par tous nos camarades déportés; nous voulons tenir compte des instincts les plus diffus, de toutes les difficultés qu'oppose la nature chez chacun de ces camarades; nous souhaitons en somme que notre position paraisse aussi valable à ceux qui la repousseraient d'instinct qu'à ceux qui l'admettent comme une évidence.

Si nous n'y parvenions pas, si notre attitude devait demeurer militante, si de bonne foi et sur un problème aussi grave, une division devait s'établir, c'est que non seulement la guerre et la captivité n'auraient servi de rien, mais que peut-être ni l'une ni l'autre n'auraient été totalement vécues.

Au contraire, une véritable prise de conscience de la condition captive doit entraîner un refus absolu d'admettre ces actes.

Plus généralement, la même indignation exprimée ou secrète, qui animait les Français contre la barbarie nazie, doit maintenant s'exprimer aussi clairement, aussi secrètement contre l'attitude de certains Français. Si nous en parlons, ce n'est pas simplement pour dire qu'il est ignoble d'avoir laissé mourir de faim certaines catégories de prisonniers allemands ou d'en descendre quelques-uns en douce au coin d'un camp à la faveur de la nuit ; c'est surtout pour affirmer que, loin de nous venger, celui qui abat ou frappe un prisonnier allemand nous insulte en nous associant à lui dans sa conscience, si tant est qu'il y règne la clarté de la vengeance et non plutôt l'épaisseur d'arrière-pensées se satisfaisant du coup dans le dos. On doute fort que parmi ceux qui ont maltraité ces Allemands il y ait des déportés, mais s'il en était ainsi, le cas serait plus grave parce que en apparence moins exceptionnel ; c'est cette apparence qu'il faut crever.

Les crimes du nazisme ne se qualifient pas, mais appartiennent à un genre possible de l'humanité. De ce qui était possible nous avons fait l'expérience, et la caricature lilliputienne [1] du grand « exemple » nous inspire le mépris et le dégoût. Seul le monde dans sa vie peut venger chaque jour ceux qui sont morts, parce que ces morts ne sont pas ordinaires ; seule une victoire des idées et des comportements pour lesquels ils sont morts peut avoir le sens d'une vengeance ; cette mort ne se mesure pas à la nouvelle mort d'un homme, c'est l'avènement, le développement d'une société et d'un certain monde intérieur qui peuvent y répondre. Ces morts sont absents de toutes les manifestations qui pourraient défigurer les hommes se croyant justes, ils sont là, au contraire, dans les moments où, cessant de « penser » à eux, la société tente d'intégrer le sens de leur sacrifice.

Tout le reste est souillure et écrivant cela nous songeons cependant à ces femmes allemandes qui riaient devant notre

---

1. Très petite, minuscule (par référence au pays imaginaire de Lilliput, peuplé de très petits hommes dans les *Voyages de Gulliver*).

troupeau, lors de notre évacuation, à celles qui un jour, dans une usine, riaient aussi lorsque le *meister* (contremaître) écrasait de coups de poing et de coups de pied un malheureux Italien qui n'avait plus la force de soulever une très lourde pièce. Nous revoyons aussi ce civil allemand, si semblable de langue, de nuque, de dos, à tant d'autres Allemands, qui ne pouvait s'empêcher, passant près de nous à l'usine, de nous flanquer des coups de poing sur la tête ; nous pensons à notre haine. Elle s'étendait à presque tous, car presque tous ne cessaient de souhaiter notre mort, ou du moins acceptaient notre malheur « visible ». Sans doute quelques-uns n'approuvaient pas, nous plaignaient même, mais ils vivaient dans la terreur du lager[1]. Cette haine s'étendait à tout, aux maisons, à la démarche de n'importe quel inconnu et ce n'était pas librement que nous ressentions la grâce d'un petit enfant blond que l'on voyait le dimanche devant la ferme voisine du kommando[2]. Nous n'avions pas l'impression qu'un châtiment nous était imposé dont les inspirateurs et les exécutants eussent seuls porté la responsabilité, mais plutôt que nous vivions dans un état hors de toute règle, où notre crainte ne pouvait se fixer, sans aucun répit, où tout, à chaque instant, était toujours possible et qu'en somme une telle manière de vivre ne pouvait tenir dans les limites des notions de faute et de peine, mais procédait d'une absence définitive d'idées sur les rapports des hommes entre eux. Ce goût de désarticuler la vie et en même temps cet abandon à une logique qui conduit à la chambre à gaz étaient d'essence trop profonde pour que nous ne fussions pas tentés de les reconnaître chez d'autres

---

1. Camp de prisonniers en Allemagne.
2. Baraquement d'un camp de détention allemand où loge un kommando, groupe de prisonniers de guerre affecté à un travail déterminé à l'extérieur du camp.

Allemands. Nous avions ainsi l'intuition d'une responsabilité diffuse parce que nous sentions, comme le dit Merleau-Ponty [1], que « les chefs sont mystifiés par leurs propres mythes et les troupes à demi complices, que personne ne commande et que personne n'obéit absolument ».

Cette attitude allemande nous paraissait écrasante, et maintenant en France, dans une conjoncture infiniment plus atténuée, de nature essentiellement différente, nous ne voudrions pas en retrouver l'ombre. Je n'écarte pas non plus cette sorte d'horreur et de terreur que je ressentis, en revenant de Dachau, dans une salle de café d'un village d'Alsace, en regardant un jeune homme d'aspect germanique ; je n'écarte pas le malaise instantané que me provoqua récemment au cinéma, pendant la projection d'un vieux film allemand, l'audition de certaines tonalités de la langue où je retrouvais celles de nos kapos [2]. Et tant d'autres hallucinations. Car nous sommes revenus hallucinés et maintenant encore, nous avons ces nuques et ces dos dans les yeux, et, lorsque nous voyons des prisonniers allemands, nous retrouvons les mêmes nuques, les mêmes dos. Il serait faux de dire que nous y restons indifférents, mais il serait sot de penser que nous sentons une tentation quelconque de nous venger sur eux, imbécile surtout de croire que, « plus que d'autres », nous pourrions avoir cette tentation. Il nous reste une stupeur, mais elle ne peut se traduire par aucun acte. Aussi étrangers et incompréhensifs étions-nous devant les rires des femmes allemandes, autant le sommes-nous devant tout acte dirigé contre les prisonniers allemands. Penser qu'un déporté puisse se réjouir de ce que certains Allemands en France soient en train de devenir eux-mêmes des « déportés », ou simplement le tolérer, c'est

1. Important philosophe français (1908-1961).
2. Détenu de droit commun chargé de commander les déportés.

croire qu'ayant reçu en Allemagne une bonne correction, nous nous réjouissions qu'on la rende à ceux qu'on a sous la main. C'est ne rien comprendre à ce qui a été vécu là-bas. Imaginer que nous puissions être « dans le coup », faire cela en pensant à nous, c'est croire que les « mœurs » de là-bas ont mordu sur nous, et même que, par un mimétisme infernal, nous en avons pris le goût. C'est surtout ne pas comprendre qu'en s'acharnant sur les prisonniers allemands on perpétue l'enfer.

Pour la victoire des notions simples de justice, de liberté, de respect de l'homme, des centaines de milliers de camarades sont morts dans les camps d'Allemagne. Peut-être est-il permis d'espérer qu'il n'est pas déjà trop tard pour croire à cette victoire. En maltraitant les prisonniers de guerre ou en les laissant doucement mourir de faim, on trahit ces notions qui font le contenu le plus valable de la victoire ; on bafoue ces morts et nous-mêmes. Comment pourrions-nous l'accepter ? Pourquoi, revenus en France, aurions-nous changé nos idées ? Dans cet ordre, il n'y a pas une morale du départ et une morale du retour.

Nous avons vu ce que les hommes ne « doivent » pas voir ; ce n'est pas traduisible par le langage. Haine et pardon n'y répondent pas davantage. Sortis de là, quelle que fût notre condition, nous avions l'envie, jusqu'au vertige, de croire à notre liberté. Lorsque nous étions des squelettes, cette croyance nous eût rendus violents à l'égard de toute humiliation arbitraire de l'homme ; maintenant que nous avons de la chair sur les os, il ne faut pas qu'elle faiblisse, qu'elle s'englue.

Je me souviens du vendredi saint de 1945 ; nous étions encore détenus et nous nous étions réunis avec quelques camarades en dehors de tout esprit confessionnel. Je dois dire que la Passion du Christ ne nous proposait rien de plus que ce que nous vivions. Il assumait sa responsabilité ; nous non plus sans doute, nous n'avions jamais cessé de revendiquer la nôtre. Actuellement, devant des prisonniers allemands maltraités, dans un sens inverse, nous nous sentons le besoin de défendre les mêmes valeurs menacées.

Sans doute là-bas, la vérité était simple ; auprès d'elle toutes les images ennemies se noyaient. C'est cela qui rend difficile le retour à une vie où cette vérité est diluée dans toutes les aventures de l'existence, jamais seule.

Mais il ne dépend pas de nous de nous sentir libérés d'un engagement dont le respect de l'homme est l'enjeu. Cette expérience nous a rendus physiquement sensibles à l'homme privé de liberté. Un homme enfermé est désormais un homme auquel on « pense » ; on est dans son intimité. Sans tirer de là des conclusions puériles, on peut dire qu'à l'intérieur de sa condition, et en fonction de ce à quoi il risque d'être soumis, le captif a toujours raison.

Le châtiment — la mort mise à part — c'est la privation de la liberté. Le reste appartient aux barbares.

Si je pensais m'être écarté insensiblement de ce que je crois être la conscience profonde de nos camarades, aucun de ces mots ne vaudrait. Cependant, je crois que si ce texte tombait sous les yeux de la mère, que je connais, d'une amie morte à Ravensbrück, cette femme serait épouvantée ; peut-être même serait-elle tentée de m'insulter... Elle y verrait un blasphème, une trahison. Cependant, je sais que c'est à notre amie que je suis fidèle.

Il y a aussi ceux et ces familles qui, dans l'impossibilité de compenser par un acte le poids de leur douleur, se taisent ; d'être ainsi retiré, c'est sans doute encore rester dans l'enfer. Il faut en sortir.

Nous ne voulons plus que l'on « joue » avec les hommes. Tout ce qui peut ressembler même de loin à ce que nous avons vu là-bas, nous décompose littéralement.

Il est vraisemblable qu'une partie de l'opinion admet

comme chose naturelle que nous gardions la haine ; plus
même, tente de nous y maintenir, en nous « rappelant » ce
que nous avons vécu, et soit même tentée de nous repro-
cher d'essayer de la dépasser.

Mais nous sommes libres de ne pas nous laisser enfermer dans une prison hélas ! si facilement accessible ; de ne
pas rester indifférents lorsque certains Français s'essayent
à jouer misérablement les barbares, sans chambre à gaz ni
crématoire.

Il y a des fatalités que nous refusons d'accepter parce
qu'elles nous ramèneraient à la guerre, à Buchenwald, à
Dachau.

Aussi, aux folies de la vengeance, aux abstentions
secrètes, aux lâchetés des indemnes, nous disons : non.

Novembre 1945.

BLAISE CENDRARS (1887-1961)
L'Homme foudroyé (1945)
(Denoël, repris en « Folio » n° 467)

C'est également en 1945 que, sortant d'un long silence, Blaise Cendrars publie L'Homme foudroyé, *premier de quatre volumes de* Mémoires *qui bouleversent les règles du genre. Il s'était fait connaître avant-guerre avec une* Anthologie nègre *qui a fait date, et reste célèbre aujourd'hui comme « poète de la main gauche », infatigable globe-trotter qui, au cours de ses pérégrinations, a eu le coup de foudre pour le Brésil.*

Les objets énumérés dans le paragraphe initial sont tour à tour associés à un souvenir, et permettent l'évocation entremêlée de voyages exotiques et le surgissement de l'autre, de l'ailleurs, dans la banlieue même de Paris.

Un canapé rouge dans une clairière de la forêt vierge, un piano à queue qui se balade sur les crêtes, monte par les mauvais sentiers et descend à pic dans les ravins et les précipices des montagnes pelées de la cordillère des Andes, une antenne de T.S.F.[1] tendue entre deux palmiers dans la solitude du *sertão*[2], la brousse, le bled du Brésil, sont des signes de la civilisation, de la prospérité, de la joie de vivre ;

---

1. Transmission Sans Fil, ancienne radio.
2. Zone éloignée des centres urbains, au Brésil.

mais une machine à coudre ou une armoire à glace et des bahuts normands, un lit en palissandre[1] et des agrandissements de photographies de famille dans leur cadre doré, un lustre et un poste de radio posés à même le sol dans le jardinet d'un pavillon de la banlieue parisienne sont des signes de décrépitude, de dégénérescence, d'ivrognerie, de pauvreté, de misère définitive et sans issue car il s'agit d'un déménagement de citadins aux portes de Paris ou d'une saisie. Contrainte et pusillanimité[2]. La loi! Légalité. Papiers timbrés. Quittances du gaz, quittances de l'électricité (quand il y en a), quittances de loyer, ou billets venus à échéance quand on a eu le malheur d'acheter le terrain et de faire construire son foyer à crédit. «La propriété c'est le vol!»

Durant les dix, douze années que j'ai hanté la Cornue[3] pas un jour ne s'est passé sans que j'aille rôder à pied, à cheval, en voiture entre la Petite et la Grande Ceinture, c'est-à-dire que je me suis fait des amis dans cette sinistre banlieue et que j'ai assisté à bien des agonies, désespérantes parce qu'on ne peut pas intervenir et que chaque tragédie individuelle est régie par la fatalité; mais de 1924 à 1936 pas une année ne s'est écoulée sans que j'aille passer un, trois, neuf mois en Amérique, surtout en Amérique du Sud (quand d'autres allaient à Moscou), tellement j'étais fatigué de la vieille Europe et désespérais de son destin, et de la race blanche (les autres croyaient à l'avènement du socialisme parce qu'ils sont de formation universitaire, moi pas. Je ne prévoyais que l'antique tuerie… la guerre sophistiquée par la science).

---

1. Bois dur et lourd.
2. Faiblesse.
3. Maison immense dans laquelle Cendrars a habité.

...

Je me souviens que le canapé rouge était installé au bord de la piste, dans un tournant, et que je m'arrêtai pile tellement cette rencontre était inattendue. Le bruit de mes engrenages n'était pas encore apaisé ni le nuage de poussière que ma vieille *Ford* avait soulevé, retombé, que je vis la femme qui me tenait en joue abaisser son arme et je l'entendis me dire émerveillée :

— ... ô, j'ai tout de suite compris qu'il n'était pas un bandit de grand chemin quand j'ai vu une si belle voiture...

J'étais éberlué.

Dans un coin du canapé, une négresse toute réjouie, qui avait un mauvais fusil de chasse entre les genoux, donnait le sein à un magnifique négrillon nu, qui pouvait avoir dans les quatre ans et qui tétait comme un glouton. À côté d'elle, trois fillettes, six, huit et dix ans, revêtues d'une longue chemise blanche, sages comme des images mais mourant de vergogne[1], me dévoraient des yeux à travers leurs doigts écartés, les mains plaquées sur le visage. Autour de ces innocentes sur leur canapé rouge, la solitude, la menace d'une clairière tropicale.

— ... ô, le Monsieur est le premier à passer. Est-ce qu'ils ont terminé la route, les hommes ?...

— Mais... mais... qu'est-ce que vous faites là, *donzella*[2] ? lui demandai-je retrouvant mes esprits.

— Ô, on nous a promis une route, et depuis la fin de la saison des pluies je viens ici voir passer la route avec mes chérubins à qui j'ai promis de leur montrer des merveilles. Est-ce que la route arrive bientôt ? C'est long...

En effet, une route était jalonnée quelque part, du côté de Santa Rita, à 300 kilomètres de là, et seule ma vieille *Ford*,

---

1. Honte.
2. En portugais : mademoiselle.

qui en avait vu bien d'autres durant mes vagabondages au Brésil, avait pu franchir les embûches et les mauvais pas de la piste qui m'avait mené bon premier dans cette clairière.

— Mais où habitez-vous, grand Dieu ?

— Ô, par là, me répondit la négresse, en pointant son pouce derrière son dos, par là-bas, de l'autre côté de la corne du bois, dans les collines d'Arraraquârà*. C'est à six lieues d'ici, mais on s'ennuie…

— Et votre mari ?

— Ô, mon homme ? Il y a deux ans que nous l'attendons, les chérubins et moi. Il travaille à la route et c'est la route qui va nous le ramener. Avant, il travaillait au pont…

— Quel pont ?

— Ô, le pont, le pont qui lui a donné le *canapompé*, pas vrai mes chérubins ? Il est beau, rouge, hein, Monsieur ?

— Il est très beau.

— Ô, c'est moi qui l'ai installé là et nous sommes bien, là, avec mes chérubins pour voir venir cette route et toutes les belles choses qu'elle doit nous apporter… Alors, cette route, elle est encore loin d'ici, elle flâne, oui, elle se repose ?… Ô la vilaine qui fait du chagrin au petit cœur de mes chérubins !… Mais vous êtes bien venu, vous, le premier, et c'est gentil !

…[…]

Je me souviens. Je me souviens que la première fois que je vis les meubles de madame Caroline, machine à coudre, armoire à glace et bahuts normands, lits de palissandre et agrandissements photographiques dans leur cadre (des bonnes têtes de paysans de chez nous), lustre, radio étaient posés par terre, sur le gravier d'un jardinet de banlieue,

---

* Arraraquârà : la pierre où le perroquet s'est posé (note de Cendrars).

devant un pavillon pimpant et tout neuf. Madame Caroline emménageait. De temps en temps elle apparaissait à l'une ou l'autre fenêtre ouverte, un foulard sur les cheveux, un plumeau à la main, époussetant un objet ou secouant un tapis, souriant à ses enfants qu'elle n'avait pas le courage de gronder sérieusement parce qu'ils cueillaient les premières capucines ou piétinaient les plates-bandes. « — Marie ! — Madeleine ! criait-elle à ses filles, vous devriez donner le bon exemple. Laissez ces fleurs tranquilles. Venez me donner un coup de main… — Paul ! — Henri ! faites donc attention, vous abîmez l'herbe… — Ah, ces enfants, me fit-elle, à moi, étranger planté dans la rue et qui regardait, ces enfants, ils abîmeraient tout, des grandes filles et des gentils garçons, on dirait qu'ils n'ont jamais été à la campagne ! » Elle appelait ça la campagne, un pavillon dans un lotissement. Elle avait un beau sourire. C'était une Parisienne. Elle avait mis des gants pour ne pas s'abîmer les mains. Elle pouvait avoir 40 ans. Elle était active. Dès le lendemain elle avait mis une pancarte sur la porte du jardinet : « *Caroline, couturière. Modes à façon. Prix modérés.* » Déjà elle était à sa machine à coudre. C'était une laborieuse. Durant une dizaine d'années toujours je l'ai vue derrière sa fenêtre, dont les rideaux étaient retroussés et maintenus par des épingles anglaises, penchée sur sa machine à coudre dont on entendait le ronronnement. Elle s'esquintait. Elle n'avait pas une seule pratique dans le lotissement car entre voisines on se déteste, on se jalouse, on s'espionne, on se débine, on jaspine, on critique le mari d'une telle, ou son chapeau, ou sa démarche, ou son ménage, ou son linge intime qui sèche sur une corde derrière la maison, et il y a les démêlés des gosses et les manigances des filles qui sortent le soir pour aller au cinéma. Pauvre madame Caroline faisait de la confection à domicile pour les grands magasins. Je la rencontrais parfois dans la rue chargée d'un lourd paquet de

petites culottes d'enfants enveloppées dans une serge verte.
Je la saluais au passage. La femme avait perdu son sourire.
Des mèches lui pendaient dans le cou. Elle ne portait plus
de gants. Ses mains étaient criblées de piqûres d'aiguille. Elle
avait presque toujours un dé au doigt et des jeux d'épingles
sur le devant de son corsage. Ses yeux clignotaient. L'électricité n'était pas encore installée dans la maisonnette, pas
plus que dans le restant du lotissement qui lui aussi était
déjà tout décrépit. La mère Caroline, car c'est ainsi que ses
voisines l'appelaient maintenant, la mère Caroline. Ah, cette
crâneuse, elle avait voulu le faire à l'épate quand on a un
mari pareil. Elle n'avait jamais eu assez de chichis à mettre
sur le dos de ses filles. Et ses garçons, ah, parlons-en, des
frappes. Les gens pauvres ne sont jamais très charitables
entre eux ou alors il faut être tombé dans le gouffre du malheur et être sur le point de crever pour qu'on vous tende
la main, et on le fait avec gêne, avec honte, et en ricanant
pour ne pas avoir l'air d'en avoir l'air. On n'a pas de pitié
entre pauvres. On se méprise cordialement. Et dans les
lotissements l'on est féroce car l'on n'est plus rien qu'un
transplanté, qu'un déclassé, sans attaches, sans racines, pas
plus en ville qu'au village natal que l'on a désertés. Et même
la parenté ne vous connaît plus comme si l'on était pareil à
tous ces étrangers qui vous entourent et qui sont venus de
Dieu sait où, entrés en fraude! Sans rien lui dire j'étais inter-
venu auprès de la Direction d'un grand magasin de Paris
pour qu'on fournisse à madame Caroline un travail moins
tuant que d'assembler des milliers de culottes d'enfant cou-
pées d'avance, et plus rémunérateur. Cela ne servit à rien.
Madame Caroline avait un foutriquet de mari, vague
gratte-papier dans une compagnie d'assurances, mais beau
parleur et enragé de politique. Cela n'était pas sérieux. Les
filles se débauchèrent. Les garçons tournèrent mal. Et
depuis le temps, la petite maison n'était toujours pas payée.

Madame Caroline n'y arrivait pas. Le ronron de la machine à coudre ne suffisait pas, et même si elle avait tourné toute la nuit, et durant cent ans. Le dos de la couturière se voûtait. Elle perdait la vue. Ses mains maigrissaient. Elle souffrait de terribles migraines. Que de soucis, mon Dieu, que de soucis ! Et il restait encore des billets à payer, deux ou trois, les derniers qu'on s'était vu dans l'obligation de faire renouveler. Et brusquement ce fut la saisie. Je me souviens. Je me souviens que la dernière fois que je vis les meubles de madame Caroline, machine à coudre presque hors d'usage à force d'avoir servi, armoire à glace salie et bahuts normands non astiqués, lit de palissandre avec traces de punaises et agrandissements photographiques pleins de chiures de mouches (des bonnes têtes de paysans de chez nous dans leur cadre doré), lustre rouillé et poste-radio détérioré parce que n'ayant jamais servi à cause du courant électrique qui n'arrivait toujours pas au lotissement, après tant d'années et de belles promesses, tout cela était posé dans la boue, sur le mâchefer[1] d'un jardinet de banlieue où il n'y avait pas une fleur, pas un brin de gazon, devenu un pavillon béant, faisant partie d'un lotissement d'épouvante, tout cela était vendu à la criée, sous la pluie d'hiver. Les voisins rigolaient. Le mari n'était pas là, cette grande gueule. Les enfants étaient absents. Je ne sais pas ce que les garçons étaient devenus. Ils avaient disparu. Marie, elle était entraîneuse[2] dans un boui-boui près de la Porte Saint-Denis. Madeleine, je l'avais bien inutilement relancée à Buenos Aires l'année d'auparavant (« — Je ne veux pas rentrer, na ! je ne veux pas rentrer... Je me plais ici... cette vie me

---

1. Ensemble de résidus solides utilisés notamment pour le revêtement de pistes sportives.
2. Jeune femme employée pour attirer les clients et les inciter à consommer.

plaît… Pour rien au monde je ne veux retourner dans le pavillon de maman, vous pouvez le lui dire, et que pour rien au monde je ne voudrais revoir les sales binettes des voisines… Merde… Ici, j'ai un bel avenir et je fais la noce… Ça paye !… C'est pas comme ce pauvre papa… Tiens, comment va-t-il, il fait toujours de la politique ?… Bien sûr, hein, comme il parle bien, papa… ») Enveloppée dans un méchant manteau la mère Caroline pleurait à chaudes larmes sous un parapluie. Personne ne faisait attention à elle. On la vendait. À la criée. À la va-vite…

…

Je connaissais aussi fort bien un immense lotissement créé par la Compagnie du Nord, l'œuvre d'un urbaniste d'avant-garde et fort réputé. […] Ah, les salauds !… Au cœur et aux portes de Paris.

… Et quand je songeais aux villages des singes dans la forêt vierge, pleins d'éclats de rire et de joie de vivre, cela me foutait le cafard et j'avais envie de partir, de repartir…

Mais il faut faire la révolution.

*

Le soir, quand je rentrais à la Cornue, il y avait toujours une famille de romanichels devant la porte. Si ce n'était le rétameur du premier soir, c'était le vannier, ou le tondeur de chiens, ou l'herboriste qui est aussi rebouteux. Un feu brûlait contre le mur et sur une centaine de mètres à droite et à gauche l'enceinte du château portait traces des foyers anciens. Paquita les tolérait, ces nomades, et même se chamaillait avec son mari à ce sujet. La marmaille s'ensauvait à mon approche car ces enfants vagabonds sont farouches, mais les femmes me souriaient quand j'introduisais la petite clé d'argent dans la serrure. Elles avaient l'air complice…

Ces nomades…

Eux aussi me fichaient le cafard. J'avais envie de reprendre la route, la grand'route…

*

Partir. Repartir.

Et la guerre qui se préparait ?

Je serai de retour pour refaire la guerre.

Mais je ne bougerai pas un doigt pour défendre la bourgeoisie.

Ah, les salauds…

Au cœur et aux portes de Paris.

Le renversement du point de vue qu'affectionnaient les philosophes des Lumières est poussé à son comble par le poète Henri Michaux dans un ouvrage au titre révélateur, Un barbare en Asie : c'est bien l'Européen qui se retrouve dans la peau du barbare, et chacun des propos tenus dans l'ouvrage doit a priori être considéré avec méfiance. C'est le barbare qui parle ! Cette énonciation déroutante entraîne une instabilité du point de vue, qui encourage tous les jeux de l'humour et de l'ironie.

Jamais, jamais l'Indien ne se doutera à quel point il exaspère l'Européen. Le spectacle d'une foule hindoue, d'un village hindou, ou même la traversée d'une rue, où les Indiens sont à leur porte est agaçant et odieux.

Ils sont tous figés, bétonnés.

On ne peut s'y faire.

On espère toujours que le lendemain ils seront remis.

Cette contrainte, de toutes la plus agaçante, celle de la respiration et de l'âme.

Ils vous regardent avec un contrôle d'eux-mêmes, un blocage mystérieux et, sans que ce soit clair, vous donnent l'impression d'intervenir quelque part en soi, comme vous ne le pourriez pas.

*

L'Indien n'est pas séduit par la grâce des animaux. Oh! non, il les regarde plutôt de travers.

Il n'aime pas les chiens. Pas de concentration, les chiens. Des êtres de premier mouvement, honteusement dépourvus de self-control.

Et d'abord, qu'est-ce que c'est que tous ces réincarnés? S'ils n'avaient pas péché, ils ne seraient pas chiens. Peut-être, infects criminels, ont-ils tué un *Brahme*[1] (en Inde, bien veiller à n'être ni chien ni veuve).

L'Hindou apprécie la sagesse, la méditation. Il se sent d'accord avec la vache et l'éléphant, qui gardent leur idée par devers eux, vivent en quelque sorte retirés. L'Hindou aime les animaux qui ne disent pas «merci» et qui ne font pas trop de cabrioles. […]

À propos des vaches et des éléphants, j'ai quelque chose à dire. Moi, je n'aime pas les notaires. Les vaches et les éléphants, des bêtes sans élan, des notaires.

Et à propos de l'élan, j'ai quelque chose à dire. La première fois que je me rendis au théâtre *hindoustani*, je manquai de pleurer de rage et de déception. J'étais en pleine «province». Tel était l'effet produit sur moi de façon surprenante par l'hindi, cette langue aux mots béats prononcés avec une bonasserie[2] paysanne et lente, énormément de voyelles bien épaisses, des â et ô, avec une sorte de vibration ronflée et lourde, ou contemplativement traînarde et dégoûtée, des î et surtout des ê, une lettre d'un niais! un vrai bê de vache. Le tout enveloppé, écœurant,

---

1. *Brahmane* : prêtre, membre de la caste sacerdotale, la première des grandes castes de l'Inde.
2. Synonyme péjoratif de bonté.

confortable, eunuchoïde[1], satisfait, dépourvu du sens du ridicule.

Le bengali a plus de chant, une pente, le ton d'une douce remontrance, de la bonhomie et de la suavité, des voyelles succulentes et une espèce d'encens.

*

L'homme blanc possède une qualité qui lui a fait faire du chemin : l'*irrespect*.

L'irrespect n'ayant rien dans les mains doit fabriquer, inventer, progresser.

L'Hindou est *religieux*, il se sent relié à tout.

L'Américain a peu de chose. Et c'est encore de trop. Le Blanc ne se laisse arrêter par rien.

*

Arabes, Hindous, même les derniers des parias, paraissent imprégnés de l'idée de la *noblesse* de l'homme. Leur allure, leur robe, leur turban, leur habillement. Les Européens, à côté, paraissent précaires, secondaires, transitoires.

*

Toute pensée indienne est magique.

Il faut qu'une pensée agisse, agisse directement, sur l'être intérieur, sur les êtres extérieurs.

Les formules de la science occidentale n'agissent pas directement. Aucune formule n'agit directement sur la brouette, même pas la formule des leviers. Il faut y mettre les mains.

---

1. Néologisme, qui fait penser à l'eunuque.

Les philosophies occidentales font perdre les cheveux, écourtent la vie.

La philosophie orientale fait croître les cheveux et prolonge la vie.

Une grande partie de ce qui passe pour des pensées philosophiques ou religieuses n'est autre chose que des *Mantras*[1] ou prières magiques, ayant une vertu comme « Sésame, ouvre-toi ».

Ces paroles, est-il écrit dans le *Khandogya-Upanishad*[2] à propos d'un texte qui, malgré tous les commentaires, ne paraît pas si extraordinaire, *seraient dites à un vieux bâton, il se couvrirait de fleurs et de feuilles et reprendrait racine.*

Bien retenir que tous les hymnes et souvent les simples commentaires philosophiques sont *efficaces.* Ce ne sont pas des pensées, pour penser, ce sont des pensées, pour participer à l'Être, à BRAHMA.

Et l'Hindou, toujours scrupuleux, s'en montre particulièrement inquiet.

Être détaché de l'Absolu, cet enfer où vous irez, Européens, cet enfer les hante.

Retenez ce lieu effroyable :

« *Pour ceux qui quittent ce monde sans avoir découvert l'Atman*[3] *et sa vraie vie, il n'y aura de liberté dans* AUCUN MONDE. » (VIII, Prapâthaka Khonda 2. Kh. Upanishad.)

On ne peut y songer, sans se sentir glacé.

La plupart des Indiens que j'ai connus, employés dans des maisons anglaises, possédaient une ou deux « bonnes formules ».

Et les armées indiennes utilisèrent toujours comme arme de combat les *Mantras*, formules magiques. […]

---

1. Formules sacrées du brahmanisme, qui posséderaient une vertu magique.

2. L'un des *Upanishads,* traités mystiques de l'hindouisme.

3. Le souffle vital, essentiel dans la conception hindouiste de l'âme.

*

Malgré leur nombre, les Indiens furent dans l'ensemble une proie. Alexandre le Grand, les rois grecs, les Huns, les Mongols, les Anglais, le monde entier les a battus, ils ont perdu leur indépendance depuis huit siècles.

Encore maintenant un *Gourkha* (descendant des Mongols, habitant le Nord-Est du Bengale) maîtrise dix Bengalis et en fait trembler cent.

Tout cela non plus ne peut s'expliquer de façon simple, quoiqu'on le sente très bien.

La première raison en est l'esprit de défaitisme naturel au fond de tout Indien. Dès qu'un éléphant royal tourne les talons, l'armée entière se débande.

Naturellement, un éléphant on ne peut jamais s'y fier. Un pétard le met en fuite. Il est calme. Mais il n'a aucun sang-froid. Au fond, c'est un fébrile. Quand ça ne va plus, il s'af-fole et alors, il faut au moins un immeuble pour le retenir. Même, quand il est simplement en rut, il s'affole. Que tout le monde déguerpisse, il va y avoir un malheur. Monsieur l'éléphant veut faire l'amour.

De plus, vindicatif comme un faible. Il vaut mieux ne pas parler de son regard. Tout homme qui aime les animaux est déçu par son regard.

Représentez-vous une armée de milliers d'éléphants, d'autant de chars, de six cent mille hommes (de ces armées il y en a eu contre Alexandre, contre quantité de conqué-rants), vous comprendrez quel bazar ça peut constituer.

Quel plaisir pour les Indiens, cette surabondance, mais une petite armée de dix mille fantassins nerveux y met la débandade.

Ajoutez qu'autrefois les Hindous se servaient de *shantras*, ou formules magiques.

Il ne faut pas nier la valeur de la magie. Néanmoins, elle donne des résultats insuffisants. La préparation psychique est lente. Un homme tue plus vite d'un coup de sabre que par magie. Son sabre, il peut s'en servir à tout instant, il n'a pas à s'armer et à lui redonner du tranchant après chaque ennemi tué, le premier imbécile venu peut se servir d'un sabre, et on peut réunir plus facilement vingt mille imbéciles que vingt bons mages.

Table des textes

De l'image

au texte

Alain Jaubert

De l'image au texte

Les Cannibales, scène du
continent sud-américain,
Globe terrestre
de Vincenzo Coronelli

… elles sont désormais visibles par tous les visiteurs…

Dans un paysage planté de quelques arbres, parmi
lesquels des palmiers, deux hommes nus ramènent un
prisonnier, l'un est armé d'une lance. À l'extrême
droite de la scène, un homme assomme à l'aide d'un
casse-tête un prisonnier, le cou attaché par une corde à
un poteau planté en terre. À gauche, sur une sorte de
claie, le cadavre d'un homme sans tête et sans membres
a été étendu. Trois hommes s'affairent autour de lui,
l'un est armé d'une sorte de hachoir, un autre est en
train de vider l'abdomen largement fendu. Deux autres
personnages s'agitent non loin de là : le premier est en
possession d'un bras, le second se baisse pour ramasser
une tête. Au centre, un autre homme tourne une
broche où est enfilée une jambe. À côté de la broche,
un homme assis à terre est en train de manger. Derrière
lui, à l'arrière-plan, un grand gril posé sur sept piliers
au-dessus d'un feu vif. Sur le gril, un autre tronc humain
et une jambe. Près du foyer qui dégage une abondante
fumée, trois femmes debout sont en train de manger,
elles aussi, des morceaux indistincts.

C'est l'une des innombrables saynètes peintes sur le

plus grand globe terrestre jamais réalisé, celui construit par Vincenzo Coronelli entre 1680 et 1682 pour Louis XIV. Vincenzo Coronelli est né à Venise en 1650. Frère mineur au couvent de Santa Maria Gloriosa dei Frari, il y établit un atelier de gravure et de cartographie. Encyclopédiste fécond, Coronelli produisit des atlas, des traités savants, des dictionnaires, des guides de poche de sa ville (parmi les premiers « guides touristiques »), et plus de 400 cartes de toutes les parties du monde alors connues. Le cardinal d'Estrées avait été envoyé par Louis XIV à Rome pour traiter avec la papauté de diverses affaires théologiques, en fait une sorte d'ambassadeur extraordinaire. En 1680, admirant à Parme deux grands globes fabriqués par Coronelli, le cardinal décide d'en commander de plus grands encore pour les offrir au Roi-Soleil. Le projet est élaboré en accord avec Jean-Baptiste Colbert, l'homme qui cumule la plupart des grands postes ministériels. Coronelli, invité en France, séjourne à Paris deux ans, d'abord à l'hôtel d'Estrées, puis à l'hôtel de Lionne. Pour la construction de ses sphères, d'une taille et d'un coût jamais égalés, il rassemble une abondante documentation et s'entoure de nombreux artisans et artistes. Résultat : un globe terrestre et un globe céleste, des sphères de 3,90 mètres de diamètre pesant chacune près de 2,5 tonnes.

Colbert veut placer les globes à Versailles, mais il meurt en 1683. À cette époque, Louis XIV et sa cour s'installent au château. Les deux ouvrages de Coronelli sont un peu oubliés. Vingt ans plus tard, ils sont placés à l'autre extrémité du parc de Versailles, dans deux pavillons du château de Marly et sur des supports imaginés par l'architecte Jules Hardouin-Mansart : des socles de marbre de 5,50 mètres de large, des supports de bronze de 4,50 mètres de haut, des piliers de style baroque, des méridiens de bronze doré, les globes pouvant pivoter sur leurs axes. Une chronique rapporte que le roi s'est fait faire des lunettes spéciales pour observer de près ses deux globes.

Peu avant sa mort, Louis XIV fait transférer les globes à Paris. Ils restent en caisse jusqu'à la fin du XVIIIᵉ siècle. On les expose alors à la Bibliothèque royale, future Bibliothèque nationale. En 1901, la salle qui les abrite est transformée en salle des périodiques. Démontées, mises en caisse, les deux énormes boules sont renvoyées à l'orangerie de Versailles où on les oublie à nouveau. Elles en sortent en 1980 pour une exposition sur la cartographie au Centre Georges-Pompidou. Elles repartent à Versailles d'où elles seront enfin transférées à la nouvelle Bibliothèque nationale en 2006. Installées dans le hall ouest, elles sont désormais visibles par tous les visiteurs de la bibliothèque.

… le globe terrestre est une véritable encyclopédie…

La taille exceptionnelle choisie pour les globes a nécessité un important travail d'ébénisterie. Une charpente interne, proche de celle d'un petit navire, soutient une coque constituée, tel un tonneau, par des fuseaux de bois cintrés d'environ 10 centimètres de large à l'équateur. Les fuseaux sont couverts d'une couche de plâtre. Sur cette coque sont superposées plusieurs toiles de plus en plus fines, elles-mêmes noyées dans le plâtre. La dernière couche est préparée à la façon d'un tableau. Et c'est en effet exactement comme sur un tableau géant qu'a travaillé toute une escouade de dessinateurs et de peintres. Agrandissements au carreau des cartes préparées par Coronelli, puis peintures des animaux et figures mythologiques représentant les constellations du ciel pour la sphère céleste, des scènes les plus variées sur terre et sur mer pour la sphère terrestre. Comme c'était l'usage depuis deux siècles environ pour certaines cartes de grand format, les dessinateurs ont non seulement représenté les fleuves, les montagnes et les villes, mais aussi des petits tableaux emblématiques. À ce titre, le globe terrestre est une véritable encyclopédie de tous les modes de navigation et de pêche, du vaisseau de guerre européen à la pirogue polynésienne, du bateau serpent à la chaloupe portugaise, du canot de la côte de Malabar à la jonque chinoise. Chaque détail est composé avec soin selon les techniques de la miniature. Les continents ne semblent pas avoir été totalement achevés. Ils contiennent néanmoins un grand nombre de peintures qui rendent compte aussi bien des faunes et des flores que des mœurs des différents habitants. En Afrique, scènes de chasse à l'autruche ou au lion. En Asie, des caravanes traversent la Tartarie. Au Groenland, c'est tout le cycle de la production de l'huile de baleine qui est mis en scène : la pêche en haute mer, le dépeçage des cétacés, le chauffage de la graisse et la mise en tonneaux de la précieuse huile transportée ensuite en Europe. Au Nouveau-Mexique, ce sont les mines de métaux précieux, or et argent, présentées avec tous les outils et machines de forage. Au Brésil, Coronelli retrace le cycle de la canne à sucre : coupe, transport, moulin. Et, un peu plus loin, ces scènes terribles de cannibalisme qui hantent l'imaginaire européen depuis la découverte de l'Amérique par Christophe Colomb.

… un « chef-d'œuvre de la littérature ethnographique »…

On dit en effet que c'est Colomb lui-même qui aurait en quelque sorte importé le mot. Le mot *caníbal*, peut-être une variante de *caraïbe*, désigne à l'origine une certaine population des Antilles. Il ne devient synonyme d'anthropophage qu'au milieu du XVIᵉ siècle. Mais Colomb évoque cependant dans son journal de bord des hommes qui « mangeaient les êtres humains et lorsqu'ils en prenaient un, l'égorgeaient, buvaient son sang et lui coupaient les parties naturelles ». L'imagination des Européens va surtout s'enflammer à la lecture des récits des explorateurs du Brésil qui, entre 1500 et 1550, entrent en contact avec des tribus anthropophages. Un des tout premiers à narrer en détail ses rencontres avec les habitants de ces régions est André Thevet, dans *Les Singularités de la France Antarctique* (1557) et, plus tard, *La Cosmographie universelle* (1575). Thevet, barbier devenu moine cordelier, avait séjourné dans la petite colonie que Nicolas Durand de Villegagnon, capitaine des galères agissant sur ordre de l'amiral de Coligny, avait tenté d'établir sur un îlot de la baie de Rio. Il s'agissait de disputer une partie de la région aux Portugais et aussi de ménager un éventuel refuge pour des protestants persécutés. Thevet, malade, n'était resté au Brésil que quelques semaines, mais sitôt rentré, il s'empressa de rédiger son témoignage. Animaux monstrueux, amazones, géants, satyres, le narrateur ne manquait pas d'imagination. Il rendit compte néanmoins de manière assez objective de ce que divers témoins lui avaient rapporté des mœurs des tribus indiennes et de ce qu'il avait vu lui-même, en particulier des rituels cannibales. Jean de Léry, un jeune protestant, qui a trente ans de moins que Thevet, avait fait partie d'une délégation envoyée par Calvin à Rio. Rentré à Genève, il voulut réfuter les fables de Thevet. Il rédigea en 1563 une première version de ses voyages au Brésil, un ami lyonnais égara son manuscrit. Une seconde version disparut au moment des troubles qui suivirent les massacres de la Saint-Barthélemy. Mais Jean de Léry s'obstina et fit paraître en 1578 son *Histoire d'un voyage faît en la terre du Brésil, autrement dite Amérique*. L'ouvrage, qui connaîtra de nombreuses rééditions, est celui que Montaigne cite dans la première publication de ses *Essais* deux ans plus tard. Les récits de ces deux voyageurs ont été abondamment commentés à l'époque moderne, surtout par les ethnologues. Ainsi Alfred Métraux, qui rend justice à Thevet malgré les délires du témoin, ou Claude Lévi-Strauss, qui rend hommage à Léry et considère son livre comme un « chef-d'œuvre de la littérature ethnographique ».

... une cinquantaine de dessins explicatifs, véritable bande dessinée...

On s'est moins intéressé aux images qu'aux récits. Le premier à avoir tenté de rendre en images ce qu'il racontait en mots est l'Allemand Hans Staden. Son livre, qui date de 1557, la même année que le premier ouvrage de Thevet, a connu lui aussi de nombreuses rééditions et traductions dans les principales langues européennes : « Véritable histoire et description d'un pays habité par des hommes sauvages nus, féroces et anthropophages situé dans le nouveau monde nommé Amérique inconnu dans le pays de Hesse avant et depuis la nais-

sance de Jésus-Christ jusqu'à l'année dernière / Hans
Staden de Homberg en Hesse l'a connu de sa propre
expérience et le fait connaître actuellement par le
moyen de l'impression à Marbourg chez André Kolbein
à l'enseigne de la feuille de trèfle. » Staden, comme
beaucoup de jeunes gens aventureux, s'est embarqué
pour découvrir le Nouveau Monde. De 1547 à 1553, il
va et vient entre l'Europe et l'Amérique au gré de navigations hasardeuses, abordages ou naufrages. Installé à
l'île de Saint-Vincent, il est fait prisonnier en 1554 par
les Indiens Tupinambas, qui le prennent d'abord pour
un Portugais et le traitent fort mal. Promis à la dévoration, il reste leur prisonnier neuf mois mais parvient à
gagner peu à peu leur confiance. Il réussit à repartir avec
un navire français et rentre en Europe en 1555.

Ce qui est remarquable dans le livre de Staden, c'est
que son auteur a fait graver pour accompagner son
texte une cinquantaine de dessins explicatifs, véritable
bande dessinée et source d'information exceptionnelle.
Si le trait est un peu naïf, le souci du détail et la mise
en scène des situations les plus complexes — guerre,
cannibalisme — sont impressionnants. Là où le texte, si
sobre soit-il, risquait d'induire chez le lecteur des repré-
sentations fantasques, voire cauchemardesques, le bois
gravé restitue toute la vérité de situations ou d'images
aussi simples et exactes que possible. Plumes, tatouages,
scarifications, arcs, massues, pirogues, huttes, palis-
sades, pêche et chasse, tout est soigneusement représenté. Et, en particulier, bien sûr, ce scénario étrange
mais répétitif qui évoque la capture d'un prisonnier,
son accueil dans un village où, après l'avoir moqué et
maltraité, on le nourrit, on l'engraisse pendant un
temps plus ou moins long, on lui procure des femmes
qui ne le pleureront qu'un moment, on le laisse même

parfois avoir des enfants, on finit par le mettre à mort, avec son consentement et selon un rite précis, et on le cuit à feu doux avant de le dévorer. Lorsqu'il n'est pas lui-même le héros malheureux de scènes de brimades ou de tortures, Staden, reconnaissable à sa barbe, se montre plusieurs fois, debout ou à genoux, en marge de ces scènes, priant Dieu de venir le délivrer. Le dépouillement exemplaire des gravures, leur simplicité scientifique, ethnographique avant la lettre, n'étaient pas faits pour plaire vraiment aux lecteurs avides de sensations fortes. Le graveur liégeois Théodore de Bry (1528-1598) édite et illustre sa fameuse série des *Grands voyages* à partir de 1570 à Francfort. Reprenant le texte de Staden, il l'illustre de gravures beaucoup plus explicites dans lesquelles la guerre, la mise à mort des prisonniers, leur dépeçage, la dévoration par le clan sont traités dans un style Renaissance très réaliste et expressif qui va figer à jamais l'image violente du cannibalisme. De Bry n'est jamais allé au Brésil, mais il donne l'impression d'avoir été présent à chacune de ces scènes terribles et parvient à en condenser toute l'horreur. Le décor sera désormais immuable : huttes de paille formant village, place au centre, hamacs, feu, gril supportant la viande humaine. Et autour, des hommes et des femmes au corps élancé et musclé tuent les prisonniers, ouvrent les corps, se disputent bras et jambes, les enfants jouent avec des têtes, des femmes préparent du bouillon dans de petites marmites. S'y ajouteront par la suite, selon les humeurs des artistes, la broche, inconnue des Indiens, et la marmite géante de fonte qui peut cuire un homme entier. Et toujours un feu vif, les flammes accentuant le caractère infernal de ces scènes, alors que, selon les témoins, la cuisson se faisait au contraire longuement et à feu assez doux. Enfin, au

besoin, on enlaidit les protagonistes pour mieux souligner leur inhumanité.

*… la carte du territoire est aussi une représentation du
territoire lui-même…*

Dès lors, cette région du Brésil ne va plus seulement
être la terre du « bois de braise » ou de « brésil », du
tabac et des épices, mais aussi celle des cannibales. Dans
le magnifique *Atlas Miller* (vers 1519) tout enluminé, on
montrait les Indiens emplumés vaquant à diverses occupations agricoles parmi des perroquets multicolores,
mais un cartouche nous mettait en garde : « Les habitants sont foncés de peau. Sauvages, très cruels, ils se
nourrissent de chair humaine. Ils sont aussi très habiles
au maniement des arcs et des flèches. » Dans les feuilles
d'atlas de Pierre Desceliers (1550), on observe également plusieurs scènes guerrières cruelles, et une de
dépeçage. Dans l'atlas de Pierre de Vaulx (1613), dans
la zone de la « France Antarctique », les Indiens portent
encore le bois de brésil. On voit un hamac tendu entre
deux arbres et un homme et une femme se tenant par
la main, figures idylliques du « bon sauvage ». Un peu
plus loin cependant, un homme marche seul dans la
campagne, sa massue sur l'épaule ; à côté de lui, un titre
énonce, comme un rappel, « les cannibales ». Coronelli
(ou plutôt le peintre chargé de cette singulière déco-
ration sous ses ordres) emprunte donc à ces modes
descriptifs où la carte du territoire est aussi une représentation du territoire lui-même, de sa faune, de sa
flore, de ses habitants, une sorte de monde en miniature, avec, au besoin, des écriteaux explicatifs dissémi-

nés dans le paysage. Mais il pousse plus loin encore en reprenant les stades dramatiques du rituel qu'avait décrit Théodore de Bry. Fragments de scènes distinctes rassemblées dans un même décor et formant comme un récit en images, à la façon de certains tableaux du Moyen Âge. Commentaire porté sur le globe terrestre : « Tous les sauvages de l'Amérique ont cette barbare coutume de manger leurs ennemis, ce qu'ils font plutôt par vengeance que par ragoût [goût]. » La fin de cette phrase est d'ailleurs reprise du texte même de Jean de Léry.

… dans la culture lettrée, le mot comme le personnage ont fait leur entrée…

De même, dans la culture lettrée, le mot comme le personnage ont fait leur entrée. Rabelais évoque les cannibales bien avant Montaigne. Ce dernier, qui recueille un témoignage de première main grâce à un serviteur, et qui a lu Jean de Léry, en profite pour philosopher sur l'état de nature, sur la structure des sociétés sauvages, et surtout sur la relativité de nos jugements moraux. Le cannibalisme ne lui paraît pas d'une extrême gravité face aux horreurs des guerres qui ravagent la France d'alors. « Nous les pouvons donc bien appeler barbares, eu égard aux règles de la raison, mais non pas eu égard à nous, qui les surpassons en toute sorte de barbarie. » Relativité plusieurs fois soulignée par Montaigne : « mais quoi ? Ils ne portent point de haut de chausses ».

La position de Montaigne avait d'autre part été anticipée par Jean de Léry lui-même. Dans son *Histoire mémorable de la ville de Sancerre*, il raconte qu'en 1573, après huit mois de siège par les catholiques, les protestants mouraient de faim. La petite fille d'un couple meurt. Le père, pour ne pas laisser perdre cette viande, l'apprête et commence à la dévorer. Sa femme, en rentrant, se joint à lui. Léry, témoin direct, voit les restes de la petite fille et, dit-il, «je fus si effrayé et perdu que toutes mes entrailles en furent émues». Les parents indignes furent condamnés au bûcher. Ce qu'on a appelé l'«anthropophagie de famine» a été assez fréquent dans l'histoire, et jusqu'à notre époque. Mais en ces périodes de guerres de Religion, il y eut aussi des actes de cannibalisme furieux provoqués par haine et vengeance, exactement comme chez les Indiens.

C'est grâce à la traduction de Montaigne par Giovanni Florio (1603) que Shakespeare découvre les cannibales. Il est suffisamment frappé pour reprendre les idées du Français et les introduire dans le discours de Gonzalo sur le gouvernement idéal (*La Tempête*, 1611). Dans la même pièce, il s'inspire du mot pour son personnage de Caliban, l'être sauvage, fils de la sorcière Sycorax, que Prospero va peu à peu civiliser. Le dramaturge emploie de nouveau le terme dans *Othello*, lorsque le More évoque, parmi les histoires qu'aime à entendre sa femme Desdémone, «les cannibales qui se mangent les uns les autres». Shakespeare est enfin le premier à jouer sur le mot : dans *Henry IV*, Pistolet, saoul, énumère «les Césars, les Cannibales et les Troyens», confondant manifestement Hannibal et Cannibales.

… Cronos-Saturne avale ses enfants…

La figure du cannibale brésilien, bien établie par les récits des voyageurs comme par les dessins de plus en plus terrifiants, va donc s'installer dans la culture occidentale et y demeurer. Phénomène d'autant plus étrange que l'on n'avait pas du tout besoin de cette découverte-là de l'Amérique pour connaître l'anthropophagie. La mythologie grecque, les historiens antiques, le folklore et la chronique séculaire des faits divers sont pleins de dévorations. Cronos-Saturne avale ses enfants, le Cyclope Polyphème est cannibale, les Scythes selon Hérodote mangeaient de la chair humaine, les contes populaires évoquent des ogres mangeurs d'enfants, et la chronique des temps difficiles, on l'a vu, atteste qu'à maintes reprises, dans les périodes de famine, on n'a pas hésité à faire cuire de la chair humaine. Sans oublier ces brusques éruptions de folie qui font qu'un grand criminel se repaît parfois de la chair de ses victimes, semant l'effroi dans des provinces entières et demeurant, tel un héros noir ou un dieu néfaste, à jamais gravé dans la mémoire populaire. Et le principal sacrement de la religion chrétienne n'est-il pas la dévoration symbolique de la chair et du sang du Christ ?

Le cannibale inspire davantage les graveurs et les illustrateurs que les peintres. À l'exception de Rubens et de Goya, la figure de Saturne n'attire pas les artistes. Outre cette figure fantastique et célèbre d'un Saturne chevelu et halluciné croquant à belles dents le bras de l'un de ses fils déjà décapité, l'une des terribles images de la Maison du Sourd, galerie de cauchemars du vieux peintre, Goya a peint aussi, des années auparavant, quatre tableaux sur le thème des sauvages. Ces peintures étranges, peut-être inspirées par le massacre de missionnaires jésuites par les Iroquois, montrent égorgements, dépeçages et début de dévoration (le tableau principal se trouve au musée des Beaux-Arts de Besançon, les autres au musée du Prado). Pour le peintre belge Antoine Wiertz, le cannibalisme est lié aussi à la folie : le peintre montre une femme hallucinée armée d'un couteau, tenant, dans son giron, le cadavre de son nourrisson enveloppé d'un linge, tandis qu'une petite jambe dépasse d'un lavabo (*Allégorie de la faim, du crime et de la folie*, 1859, Musée royal de Bruxelles).

… Le cannibale, c'est toujours l'autre, l'étranger, le barbare, le nègre…

En même temps que cette imagerie culinaire et criminelle se répandait partout avec ses échos d'horreur et de cauchemar, le mot connaissait une fortune extraordinaire. Le cannibale est un sauvage cruel, non civilisé, un glouton (« un appétit de cannibale »). Cannibalisme est synonyme d'anthropophagie. Pour la Révolution française, les rois sont anthropophages. Plus tard pour les prolétaires, les capitalistes seront des cannibales. Au XXᵉ siècle naîtra le terme « cannibaliser », un anglicisme, qui signifie remplacer les pièces manquantes ou cassées d'une machine, avion, camion, par les pièces d'une autre. Ou bien, en termes d'économie, absorber une firme concurrente. À l'époque moderne même, cannibaliser peut facilement prendre le sens d'une prise de possession d'une personne par une autre. L'image reste très puissante, sidérante. Même lorsque le sujet est traité avec humour, comme chez

Jonathan Swift proposant de régler la question irlandaise par la dévoration des petits enfants, le thème est toujours teinté d'horreur macabre. La peur, le refus viscéral du cannibalisme ont donné naissance à une longue tradition de conjuration par le dessin d'humour. Le rituel imaginé est devenu une sorte de cliché obsessionnel. Le prisonnier emporté vers le destin qu'on devine, pendu à une perche par les quatre membres tel un animal capturé, le missionnaire ou l'explorateur mis à cuire dans une marmite, au centre d'un cercle de sauvages affamés ou rigolards, sont devenus des poncifs du dessin d'humour. Une rumeur récurrente attribue à tel ou tel chef d'État africain des instincts cannibales. L'un aurait dévoré des morceaux de son pire ennemi politique. Dans le réfrigérateur d'un autre, on aurait trouvé des restes humains. Le cannibale, c'est toujours l'autre, l'étranger, le barbare, le nègre…

… un scénario funeste qui se répétera dans les annales maritimes…

Parmi les faits divers qui alimentèrent la chronique cannibale, on trouve un bon nombre d'histoires de marins. L'histoire la plus fameuse est évidemment celle de la *Méduse* (1816), puisqu'elle fut à l'origine d'un scandale politique et surtout inspira l'un des plus grands et vigoureux tableaux de l'époque romantique, *Le Radeau de la Méduse* de Théodore Géricault (1819). Les survivants d'un naufrage désastreux, embarqués sur un radeau, s'entretuent, disparaissent les uns après les autres et, réduits à un petit groupe, finissent par dévorer la chair des morts pour survivre. C'est un scénario funeste qui se répétera dans les annales maritimes avec une effrayante monotonie. Dans plusieurs cas de naufrages, des hommes furent sacrifiés, souvent le mousse, le plus jeune matelot, sans défense et à la chair tendre (affaire de la *Felicia*, 1875 ; du *Victory*, 1884 ; du *Britannia*, 1885). Des scènes évoquées dans la chanson *Il était un petit navire*... Et jusqu'au xxᵉ siècle, l'avion ayant pris la succession des navires : lors d'un naufrage dans la cordillère des Andes, les survivants d'un désastre aérien, après avoir épuisé les vivres contenus dans l'avion, et après un long et douloureux débat, commencent à manger des morceaux de leurs compagnons morts et peuvent ainsi survivre (1972).

... avec complaisance et dans un grand souci du détail horrible...

Au cours du xixᵉ et dans la première moitié du xxᵉ siècle, pendant ce qu'on pourrait appeler l'« ère coloniale », la thématique du cannibalisme avait été déjà amplement et régulièrement développée à travers toute une série de supports graphiques. Ce sont d'abord les revues de divertissement populaire à vocation de voyages et d'encyclopédisme comme le *Magasin pittoresque*. Les mœurs des sauvages des différentes parties du monde sont illustrées par des gravures très explicites. La jungle inhospitalière, la guerre des tribus, la capture des prisonniers, leur mise à mort et le festin cannibale sont déclinés avec complaisance et dans un grand souci du détail horrible. Plus tard, les gravures des premiers journaux illustrés sont basées sur des photographies d'explorateurs et vont plus loin encore dans leur volonté de sérieux ethnographique. La carte postale relaie cette information : cannibales des îles Fidji, du Congo ou des Philippines, sacrifice en Birmanie, festin anthropophage aux îles Salomon, au Congo, ou chez les Indiens d'Amérique du Nord, famine en Chine au cours de laquelle on vend des membres humains, nul continent, semble-t-il, n'y échappe. L'Europe la plus proche n'est pas épargnée : pendant les famines d'Ukraine en 1919 ou de Russie en 1922, des paysans n'hésitent pas à mettre en vente les abats de leurs propres enfants. Ces scènes monstrueuses sont répercutées par les agences photographiques et les suppléments de *L'Illustration*. Le cannibalisme de vengeance réapparaît à la faveur des grands conflits de la fin du XXe siècle, telle la dévoration du foie de l'ennemi chez les Khmers au cours de la guerre du Vietnam.

… Une vague d'horreur toujours mêlée d'une intense et inquiétante excitation….

Enfin, le cannibalisme s'est incrusté dans notre culture savante au centre de deux démarches distinctes mais présentant de nombreux points communs, l'ethnologie et la psychanalyse. Dans *Totem et tabou* (1912), Sigmund Freud imagine une sorte de mythe de la horde primordiale : « Un jour les frères se rassemblèrent, tuèrent et dévorèrent le père, mettant ainsi fin à la horde primitive […]. Dans l'acte de dévoration, ils accomplirent l'identification avec lui, chacun s'appropriant une partie de sa force. » Le cannibalisme est ici lié au meurtre du père, à l'inceste, au sacrifice et à la loi. Les ethnologues, d'une façon générale, n'ont pas suivi Freud sur ce chapitre particulier. Ils se sont intéressés au cannibalisme en tant qu'acte rituel à structure de sacrifice et ont montré qu'il était le plus souvent lié aux règles de parenté et d'alliance. Les Indiens Tupinambas dont Hans Staden, témoin direct, ou Montaigne, témoin indirect, commentent les mœurs, ont été étudiés à l'époque moderne par Alfred Métraux. Selon ce dernier, la mise à mort et la dévoration des captifs ne sont pas seulement un acte de vengeance ou une captation des vertus de l'ennemi, mais un sacrifice pur, un acte religieux destiné à apaiser l'esprit d'un parent mort. Cependant, le cannibalisme a pu prendre des formes très diverses. D'autres groupes ethniques pouvaient manger les membres de leur parenté. Certaines tribus encore, parmi les Indiens de l'Amérique du Nord, ne mangeaient que les vrais étrangers, les captifs ordinaires étant intégrés dans leur tribu, autre forme d'ingestion qui permettait en outre d'augmenter la population. Même si les travaux des ethnologues ont pu prolonger les réflexions de Montaigne faisant déjà le partage entre nature et culture, et relativisant l'horreur de l'anthropophagie, même si les recherches des psychanalystes nous ont donné une interprétation de l'origine des ogres, sorcières et autres dévorants, l'horreur du cannibalisme reste vive dans nos sociétés policées. Manger de la chair humaine est le signe d'un grand dérèglement mental, celui du monstre, du barbare, demeuré à un stade primitif, qui vit dans la crasse, l'inceste et la promiscuité. Proche de l'animal, ce sauvage moderne n'a pas sa place dans une société policée. Et pourtant il suffit d'un Issei Sagawa, «Japonais cannibale», qui, de plus, écrit ensuite ses Mémoires, ou de n'importe quel «tueur en série» quelque peu vampire, pour exciter au plus haut point le public. Une vague d'horreur toujours mêlée d'une intense et inquiétante excitation.

Le texte

en perspective

Christine Bénévent

Mouvement littéraire
L'humanisme et les barbares

DE NOS JOURS, LE TERME D'« HUMANISME » est très souvent utilisé comme synonyme d'altruisme, d'amour de l'humanité : c'est bien ce dernier mot — « humanité » — que l'on entend derrière « humanisme ».

1.

Qu'est-ce que l'humanisme ?

La première attestation en français du mot « humanisme », en 1765, fait de l'humanisme un exact synonyme de « philanthropie » (dérivé du grec *philein* : aimer ; *anthropos* : l'homme).

1. *Polysémie de l'humanisme*

Un siècle plus tard, le terme prend cependant un sens plus spécialisé : il désigne alors « l'attitude philosophique qui tient l'homme pour la valeur suprême et revendique pour chaque homme la possibilité d'épanouir librement son humanité, ses facultés proprement humaines » (*Trésor de la langue française*).

Toutefois, après l'optimisme du XIXᵉ siècle et sa foi en un progrès humain continu, l'expérience de la « barbarie nazie » oblige à reconsidérer le terme d'« humanité », *a priori* synonyme d'une bonté censée être propre à l'homme, mais qui désigne aussi, de façon plus neutre, l'« ensemble des hommes », lesquels ne se comportent pas toujours avec « humanité ». C'est au nom d'une hiérarchie des races que les nazis ont « justifié » l'élimination de millions de « sous-hommes ». Face à la folie d'une telle logique, des auteurs comme Primo Levi (*Si c'est un homme*) ou Robert Antelme (*L'Espèce humaine*) réaffirment l'unité indivisible de cette humanité. Leurs ouvrages réactivent, à plusieurs siècles de distance, les réflexions menées par Montaigne et quelques autres au XVIᵉ siècle : pratiquant le cannibalisme et ignorant l'existence de Dieu, les sauvages du Nouveau Monde sont-ils ou non des hommes ? La réponse à cette question touche au cœur même de l'humanisme.

2. *L'humanisme, mouvement intellectuel de la Renaissance*

Le terme désigne alors l'appartenance à un mouvement intellectuel particulier et limité dans le temps. Il n'a pas été inventé par ceux qu'il sert à regrouper : ce n'est qu'à la fin du XIXᵉ siècle, en 1887, que le terme d'« humanisme » leur a été appliqué. Ceux que nous appelons aujourd'hui les « humanistes » se qualifiaient plutôt eux-mêmes, du moins au départ, d'« anti-barbares » (c'est le titre d'un pamphlet d'Érasme), d'abord par opposition aux théologiens traditionnels.

Ces derniers appliquaient, dans leur enseignement et leur recherche, une méthode appelée scolastique, qui tentait d'accorder une démarche logique et rationnelle inspirée d'Aristote avec la révélation divine. Très systématique, elle reposait surtout sur le commentaire des textes à partir de séries de questions obligées, qu'Érasme s'amuse à caricaturer dans son *Éloge de la folie*. Les théologiens scolastiques passeraient leur temps à disserter savamment sur les questions passionnantes telles que :

> Y a-t-il plusieurs filiations dans le Christ ? La proposition « Dieu le Père déteste son Fils » a-t-elle un sens ? Dieu aurait-il pu prendre pour agent une femme, un diable, un âne, une citrouille, un caillou ? Comment la citrouille aurait-elle alors prêché, fait des miracles ? été fixée à la croix ?

Contrairement à eux, les humanistes privilégient les *studia humanitatis*, ou *litterae humaniores*, c'est-à-dire l'étude des langues (surtout le latin et le grec) et des cultures de l'Antiquité, ce qu'on appelait encore, dans les années 1960, les « humanités ». Or ces études « sont dites plus humaines (*humaniores*), appellation qui les met assurément au-dessus des autres arts, parce qu'elles permettent mieux que ceux-ci d'approcher de la nature ou de la dignité de l'homme » (Étienne Dolet).

2. *Un humanisme ou des humanismes ?*

En réalité, il est « presque autant d'humanismes que d'humanistes » (Arlette Jouanna) : le terme d'humanisme recouvre un ensemble de pratiques et de convictions très diverses. On peut néanmoins y discerner un idéal commun, fondé notamment sur le sentiment de rupture avec le Moyen Âge et l'importance accordée à l'éducation.

2.

Ruptures et idéaux

L e terme de « Renaissance » sert à désigner une période particulière, qui correspondrait en France au XVIᵉ siècle, mais qui débuterait dès le XIVᵉ siècle en Italie.

1. *Une évidence pour les hommes du temps*

Vers 1532, le géant Gargantua adresse à son rejeton, Pantagruel, une célèbre lettre souvent qualifiée de « chant triomphal de la Renaissance », qui met en opposition les ténèbres du Moyen Âge, assimilé au temps des barbares (« Le temps était encore ténébreux et sentant l'infélicité et calamité des Goths, qui avaient mis à destruction toute bonne littérature »), et la lumière qui règne sur les temps nouveaux, où « toutes disciplines sont restituées, les langues instaurées » (François Rabelais, *Pantagruel*). Guillaume Budé (1467-1540), sans doute le représentant le plus notable du « premier humanisme français », évoque lui aussi dans l'*Étude des lettres* « le déluge de plus de mille ans » qui avait « englouti les lettres authentiques », « le déferlement de barbarie », « le malheur des temps, qui avait lamentablement ruiné toute littérature ».

Les humanistes partagent la conviction que l'Antiquité a constitué un « âge d'or » saccagé par les invasions barbares. Celles-ci auraient instauré, entre la « naissance » (l'Antiquité) et la « Re-naissance » des arts et des lettres, un « âge intermédiaire » (un « Moyen Âge ») plein de ténèbres.

2. *Le retour aux sources vives*

En noircissant ainsi le tableau médiéval, les humanistes approfondissent le contraste avec leur propre siècle, «si plein de lumière» (Rabelais). Ils ont le sentiment de se réchauffer à nouveau au soleil de l'Antiquité, dont les siècles passés dans la caverne médiévale avaient altéré l'éclat.

Pour ce faire, il fallait d'abord retrouver la version authentique des textes antiques, mais aussi de la Bible, d'abord en combattant les erreurs commises par les scribes du Moyen Âge : pendant plusieurs siècles, les textes avaient été patiemment recopiés à la main, ce qui n'allait pas sans risque. En réalité, d'un manuscrit à l'autre, le texte se modifiait, les erreurs s'ajoutant les unes aux autres. La «belle robe d'or triomphante et précieuse à merveille» du texte original aurait été en outre «brodée de merde» (Rabelais, *Pantagruel*) par les gloses, commentaires dont les savants médiévaux l'entouraient.

Se met ainsi au point une nouvelle méthode, appelée philologie (amour du *logos*, c'est-à-dire de la parole, de la raison, des lettres) : pour retrouver la version la plus cohérente et la plus authentique des textes anciens, il faut au départ confronter les différentes versions manuscrites d'une même œuvre. L'Italien Pétrarque (1304-1374) se lance dès le XIVᵉ siècle dans une vaste «chasse aux manuscrits» à travers les bibliothèques d'Italie et d'Europe.

Il s'agit aussi de rendre possible un nouveau rapport au texte, facile et intime, grâce auquel on n'aurait plus besoin de passer par des intermédiaires qui prétendent disposer du savoir et qui en fait le confisquent. Outre le retour à la version originale, les humanistes revendiquent un nouveau travail de traduction, débarrassé de tous les préjugés accumulés, afin de restaurer un véritable contact avec la «parole vive» de ces textes.

3. *Autres signes de rupture*

La date de 1453, souvent retenue pour marquer la fin du Moyen Âge, correspond sur le plan politique à deux événements majeurs : la fin de la «guerre de Cent Ans» entre la France et l'Angleterre, d'une part, et la chute de Constantinople, qui était la «Rome» de l'Empire byzantin, d'autre part.

À peu près dans le même temps, l'invention de l'imprimerie, associée au nom de Gutenberg, vient bouleverser le rapport entre les hommes et les textes, entre les hommes et le savoir.

3.

L'humanisme et la découverte du Nouveau Monde

Le progrès technique se fait sentir ailleurs, notamment dans l'art de la navigation. C'est un des facteurs qui expliquent les «grandes découvertes» de l'époque, que l'on doit surtout aux Portugais et aux Espagnols. Les deux nations, entrées en rivalité dès les années 1470, se sont partagé en 1494 les terres découvertes et à découvrir, grâce au traité de Tordesillas.

1. *Les grandes découvertes*

Les premières découvertes concernent les côtes africaines, dont l'exploration permet d'ouvrir la route maritime vers les Indes, empruntée par Vasco de Gama en 1497. Christophe Colomb cherchait à découvrir une autre route, occidentale cette fois, pour rejoindre les mêmes Indes quand il trouva des îles nouvelles en 1492 : San Salvador (les actuelles Bahamas), Cuba, Saint-Domingue. Ce n'est finalement qu'à la troisième expédition, en 1498, qu'il découvrit le continent américain, qui devait être exploré ensuite par bien d'autres voyageurs, parmi lesquels Amerigo Vespucci (dont le prénom servit à baptiser le Nouveau Monde sur une carte de 1507), et Pedro Álvares Cabral : il donna à la terre qu'il aborda le nom de « Brésil », parce que le bois y était rouge comme la braise.

Pendant plusieurs années, on crut que ces terres étaient rattachées au continent asiatique, c'est pourquoi les indigènes en furent appelés « Indiens ». Il fallut la publication de nombreux récits de voyages pour que la perception d'un nouveau continent nommé Amérique devînt claire pour les Européens.

2. *« Notre monde vient d'en trouver un autre... »*

Ces découvertes, et la colonisation qui en a résulté, n'ont pas suscité, dans un premier temps du moins, l'intérêt des humanistes, alors même que la confrontation avec d'autres civilisations ne pouvait qu'inciter à réfléchir sur ce qu'est l'humanité. Il fallut attendre les années 1550 pour que les témoignages se multiplient, des dénonciations de Las Casas à la tentative d'implantation des Français au Brésil, relatée par André Thevet (*Les Singularités de la France Antarctique*) ou, plus tard, Jean de Léry.

La découverte d'un Autre si radicalement différent oblige les humanistes à repenser les rapports entre la culture, qu'ils ont mise au centre de leurs préoccupations, et la nature, d'une part, la barbarie, d'autre part. Il faut, pour comprendre l'ampleur de l'effort qui leur est demandé, revenir un peu en arrière.

4.

Culture et barbarie

Si l'humanisme associe étroitement la volonté de revenir aux sources antiques et l'affirmation de la dignité de l'homme, c'est parce qu'il réfléchit à l'épanouissement de l'homme en termes de culture : c'est l'éducation, le savoir qui rendent l'homme plus humain. La qualité d'être humain n'est, à la naissance, qu'une virtualité que chacun doit rendre réelle par l'effort et par l'étude : comme le souligne Érasme, «on ne naît pas homme, on le devient».

1. *La dignité de l'homme*

La «dignité de l'homme» est célébrée avec force par l'Italien Pic de La Mirandole (1463-1494) dans un discours qui réécrit le récit biblique de la Genèse à la lumière des mythes antiques : Dieu aurait voulu un spectateur pour contempler la richesse de sa création. Mais comme il a déjà tout utilisé pour les autres créatures et qu'il ne peut rien donner à l'homme qui lui soit propre, il décide d'introduire « dans chaque homme qui naît » « des germes de toute sorte de vie ». Seuls ceux que l'homme cultivera croîtront, il sera son propre artisan :

> Toutes les autres créatures ont une nature définie contenue entre les lois par nous prescrites ; toi seul, sauf de toute entrave, suivant ton libre arbitre auquel je t'ai remis, tu te fixeras ta nature. [...] Je ne t'ai fait ni céleste ni terrestre, ni mortel, ni immortel ; d'après ton vouloir et pour ton propre honneur, modeleur et sculpteur de toi-même, imprime-toi la forme que tu préfères.

L'homme digne de ce nom cultivera les lettres, au sens large de « sciences et études contenues par lettres et livres » (Robert Estienne, *Dictionnaire*, 1543). L'épanouissement de l'homme, son achèvement ne sont rendus possibles que par les études.

2. *Comment les bêtes peuvent devenir des hommes*

La renaissance des arts et des lettres ainsi que la révolution pédagogique qu'elle implique entraînent donc une rénovation, une métamorphose des hommes eux-mêmes :

> On cultive aujourd'hui les lettres plus que jamais : tous les arts s'épanouissent et, grâce à la culture littéraire, les hommes apprennent maintenant à distinguer le bien et le mal, une chose que l'on a longtemps négligée. Les hommes commencent à se connaître eux-mêmes ; leurs yeux, voilés autrefois par un funeste aveuglement, s'ouvrent enfin à la lumière du monde. Ils ne ressemblent plus à des brutes, tant la culture des arts a développé leur esprit, tant s'est perfectionné leur

langage (par quoi nous différons des animaux).
(Étienne Dolet, 1536)

3. *Des peuples à convertir et éduquer...*

Puisque la culture fait sortir l'homme de son état animal, n'y a-t-il pas lieu d'éduquer les populations nouvellement découvertes? La plupart des récits insistent
sur leur proximité avec la nature, leur sauvagerie, ce qui
est très partial quand on pense au degré de civilisation
atteint par les Aztèques ou les Mayas.

Néanmoins, les Européens estiment qu'il convient de
déterminer s'il s'agit d'êtres inférieurs, dénués de raison, ou s'ils sont pourvus d'une âme et donc capables
de recevoir la révélation chrétienne. Autrement posée,
« la question initiale des premiers explorateurs qui
venaient dans un esprit de domination, armés de leurs
catégories et de leurs classements, était de savoir s'il fallait d'abord voir les populations locales comme des
populations à convertir, ou plutôt comme des populations à exploiter économiquement » (Pascal Brioist).

4. *...ou des hommes à tête de chien?*

La position de Las Casas n'est pas majoritaire, loin
s'en faut, d'autant qu'elle ne fait nullement l'affaire des
colonisateurs. Pour la plupart d'entre eux, il y a simplement les bons indigènes, dociles au christianisme, et
les mauvais, au paganisme irréductible souvent associé
au cannibalisme. L'argument de leur sauvagerie fut évidemment récupéré en faveur de la conquête : en 1550,
lors de l'entrée d'Henri II à Rouen, les spectateurs
purent assister, dans un village indien reconstitué, aux

danses de Brésiliens nus et, surtout, à un combat entre indigènes auquel les Français pacificateurs venaient mettre fin.

C'était un moyen de se donner bonne conscience à peu de frais, et il fallait le courage intellectuel d'un Montaigne ou d'un Jean de Léry pour rendre la question plus complexe : les Européens, pourtant si cultivés, n'avaient-ils pas révélé leur propre barbarie non seulement dans la conquête, mais aussi dans les guerres de Religion ?

5.

L'humanisme face à la Réforme et aux guerres de Religion

Pour comprendre l'origine de ces guerres fratricides, il faut se souvenir que le XVIᵉ siècle ne fut pas seulement celui de l'humanisme, mais également celui de la Réforme, ou plutôt des réformes au pluriel, car les attitudes religieuses se déclinèrent sur un large éventail.

1. Retrouver la Bible

La philologie humaniste entendait s'exercer sur tous les textes, y compris la Bible. Or le texte biblique était, aux yeux des théologiens, d'une nature tout à fait singulière puisqu'il était censé avoir été inspiré par Dieu lui-même, y compris dans sa version latine, qui n'en est qu'une traduction réalisée par saint Jérôme. Avait-on le droit de déceler des faux-sens, des erreurs de traduction ou de grammaire dans un texte inspiré ? La concurrence fut sévère entre les théologiens, qui entendaient conserver le texte tel quel, au nom de cette autorité divine, et les humanistes qui, au nom de la grammaire, entendaient le corriger. Les enjeux réels dépassaient largement ce conflit apparent.

2. *L'humanisme évangélique*

Érasme est généralement considéré comme le chef de file ou l'inspirateur de l'«évangélisme», qui englobe en fait différents courants, dont le mot d'ordre commun est le retour à l'Évangile, source de leçons pour toutes les choses de la vie et pour tous : le vœu formulé par Érasme était «que toutes les plus humbles des femmes lisent les Évangiles…». Il s'accompagne d'une dénonciation des abus commis par l'Église traditionnelle, et les moines en particulier. Ce courant se développe en France dans les années 1520 et bénéficie, malgré des flambées répressives, d'une relative tolérance de la part de François Ier.

3. *Luther*

Dans le même temps, Luther mène en Allemagne un combat apparemment proche de celui des humanistes : comme eux, il attaque les indulgences et prône le retour à l'Évangile. Mais la proximité n'est que superficielle : chez Martin Luther (1483-1546), l'Église catholique est remise en cause pour ses abus, certes, mais aussi dans son fonctionnement et sa doctrine mêmes. La rupture est consommée dès lors que Luther brûle publiquement la bulle papale qui l'excommunie, et publie les ouvrages majeurs de la Réforme (1520).

4. *La rupture calvinienne*

En France, la politique de tolérance est compromise lorsque, dans la nuit du 17 au 18 octobre 1534, des centaines de petits placards contre la messe sont affichés à Paris et dans le Val de Loire, et ce jusque sur la porte de la chambre du roi, au château d'Amboise. Le roi ne peut pas ne pas réagir à cette provocation et organise immédiatement la répression de l'hérésie luthérienne.

C'est au même moment que s'opère pour le jeune humaniste Jean Calvin la « conversion » qui le conduit à se poser comme le chef d'un évangélisme strict. Il radicalise, tout en la modifiant en profondeur, la doctrine luthérienne dans l'*Institution de la religion chrétienne* (1536 en latin, 1542 en français), dont le succès est considérable. Les dissidents, ceux qui ne se reconnaissent plus dans l'Église catholique, ont trouvé leur guide.

5. *Les guerres de Religion*

Ce schisme religieux est la cause le plus souvent avancée pour expliquer les huit guerres civiles successives qui vont ravager la France entre 1562 et 1598, et dont l'extrême violence atteint un paroxysme en 1572, lors des massacres de la Saint-Barthélemy. Dans ces guerres où s'entredéchirent les hommes d'une même nation et où se multiplient des actes de barbarie inouïs, on a l'impression de voir se briser le beau rêve humaniste. Comment l'homme a-t-il pu redevenir bête après avoir été éduqué ? Comment le retour aux textes, qui devait restaurer l'harmonie et le consensus religieux, a-t-il conduit à la naissance d'une hérésie qui met en péril l'unité du royaume, fondée sur une seule foi ?

6. *Montaigne et l'humanisme tardif*

Pourtant, si ces guerres ont infligé un cruel démenti au rêve des humanistes, elles ont néanmoins contraint ces derniers à approfondir leur réflexion sur l'homme, à mesurer combien c'est un animal compliqué, même une fois éduqué : telle est la leçon, riche, ondoyante et contradictoire, que révèlent les *Essais* de Montaigne. Il s'inscrivent dans une période parfois baptisée « Renaissance de la critique » (Jean Jehasse), où les humanistes érudits tirent les leçons d'un siècle d'imprimerie et affinent leurs exigences et leurs méthodes, préparant certains aspects du classicisme.

Quelques grands textes humanistes

1486   Pic de La Mirandole, *De la dignité de l'homme*.

1500   Érasme, *Adages* (1ʳᵉ édition).

1511   Érasme, *Éloge de la folie*.

1516   Thomas More, *L'Utopie*.

1528   Baldassare Castiglione, *Le Courtisan*.

1532   Rabelais, *Pantagruel*; Marot, *Adolescence clémentine*.

1534   Rabelais, *Gargantua*.

1536   Calvin, *Christianae religionis institutio*; Dolet, *Commentaires de la langue latine*.

1549   Du Bellay, *Défense et illustration de la langue française; L'Olive*.

1556   *Lazarillo de Tormes*.

1559   Marguerite de Navarre, *Heptaméron* (posthume).

1580   Montaigne, *Essais* (1ʳᵉ édition).

1603   Cervantès, *Don Quichotte*.

Petite bibliothèque humaniste

Christine BÉNÉVENT, *L'humanisme*, « La bibliothèque Gallimard » n° 187, 2006.

Pascal BRIOIST, *La Renaissance, 1470-1570*, Atlande, 2003.

Arlette JOUANNA *et al.*, *La France de la Renaissance. Histoire et dictionnaire*, Robert Laffont, 2001 ; *Histoire et dictionnaire des guerres de Religion*, 1998.

Marie-Dominique LEGRAND, *Lire l'humanisme*, Dunod, 1993.

Pierre MARI, *Humanisme et Renaissance*, Ellipses, 2000.

Daniel MÉNAGER, *Introduction à la vie littéraire du XVIᵉ siècle*, Bordas, 1968, nouvelle édition 1984.

Jacques ROUBAUD, *Impressions de France. Incursions dans la littérature du premier XVIᵉ siècle, 1500-1550*, Hatier, 1991. Suivi de Pierre LARTIGUE, *Le Second XVIᵉ Siècle. Plumes et rafales, 1550-1600*, 1990.

Caroline TROTOT, *L'Humanisme et la Renaissance*, Flammarion, 2003.

Pour aller plus loin

Peter BURKE, *La Renaissance européenne*, Seuil, 2002.

Jean DELUMEAU, *La Civilisation de la Renaissance*, Arthaud, 1993.

John HALE, *La Civilisation de l'Europe à la Renaissance*, Perrin, 1998, 2003.

Les travaux de Franck LESTRINGANT, éditeur de Jean de Léry et auteur de nombreux et stimulants essais aussi bien sur la figure du cannibale que sur l'Eucharistie.

Genre et registre

« J'ai souvent essayé... »

L'ESSAI EST UN GENRE ÉNERVANT. Pour le monde universitaire ou savant, c'est l'« anti-thèse » au sens propre, une façon légère et désinvolte d'aborder le savoir, en amateur, sans trop se soucier de profondeur, de rigueur ou de références. En 1845, Théophile Gautier qualifiait l'essayiste « d'auteur d'ouvrages non approfondis ». Pour le monde scolaire, élèves et enseignants confondus, c'est d'abord un objet indéfinissable : « Peut-on définir l'essai une fois le principe admis que l'essai ne se soumet à aucune règle ? » (Jean Starobinski). Dans de telles conditions, comment peut-il faire l'objet d'un enseignement ? Les manuels scolaires témoignent de cette difficulté : « forme floue », dont il est plus facile de dire « ce qu'elle n'est pas » ; « genre d'une grande souplesse », qui « peut prendre des formes variées et faire des emprunts aux autres genres », l'essai apparaît décidément comme une sorte d'ectoplasme insaisissable. De quels moyens disposons-nous pour le définir ?

1.

Premiers essais de définition

1. *L'apport de l'étymologie*

Étymologiquement, le mot *essai* a un passé très riche : il provient du bas latin *exagium*, la balance, tandis que le verbe « essayer » dérive d'*exagiare*, qui signifie peser. L'*examen* n'est donc pas loin : au sens le plus connu (qui désigne l'aiguille de la balance, d'où pesée, contrôle) s'en ajoute un autre, celui de l'essaim d'abeilles ou de la nuée d'oiseaux. La racine étymologique commune serait le verbe *exigo*, qui signifie pousser dehors, chasser, puis exiger. Tous ces sens ont leur importance.

2. *Le sens courant*

Au sens courant, il n'y a sans doute qu'au rugby (où il désigne l'avantage obtenu en réussissant à placer le ballon derrière la ligne de but du camp adverse) que le mot *essai* renvoie à une réalisation effective, réussie. Et encore… : il désigne plus précisément, par traduction de l'anglais *try*, le droit de tenter de marquer un but, de même qu'au basket.

La plupart du temps, *essai* signifie « tentative, épreuve », « action d'essayer » et, au Moyen Âge, le fait d'affronter quelqu'un pour la première fois. Plus généralement, l'essai est soit un contrôle avant emploi (on met une chose à l'épreuve pour contrôler ses qualités ou ses défauts avant son utilisation permanente), soit une première réalisation, susceptible d'une défaillance (c'est le « coup d'essai », première tentative effectuée dans un domaine particulier). Il désigne également le fait d'essayer le goût, si bien que, par métonymie, « essai » a pu signifier « coupe pour goûter les boissons » ou « échantillon ».

3. *L'essai et les lettres*

Lorsqu'en 1580 paraît la première édition des *Essais*, Montaigne « n'y associe pas une catégorie littéraire mais une notion de méthode » (Hugo Friedriech), une façon de vivre et de penser. Sans doute, pour les lecteurs de l'époque, le terme évoque-t-il d'abord quelque chose de la vie, et non de l'écriture, même s'il est déjà attesté pour désigner les premières productions d'une personne qui débute dans un genre, grâce à Clément Marot qui, à l'ouverture de son *Adolescence clémentine*, écrivait :

> [...] si la courtoisie des lecteurs ne nous excuse, le titre du livre nous excusera. Ce sont œuvres de jeunesse, ce sont coups d'essai.

Montaigne, « engagé dans les avenues de la vieillesse, ayant piéça franchi les quarante ans » (II, 17), n'a pas l'excuse de la jeunesse, et pourtant... : « Je propose les fantaisies humaines et miennes, simplement comme humaines fantaisies [...]. Comme les enfants proposent leurs essais ; instruisables, non instruisants » (I, 56).

2.

Des essais multiples

Notons tout de suite l'emploi du pluriel, qui implique la répétition, les tentatives réitérées, mais aussi la diversité du champ d'expérimentation ouvert. On pourrait compléter à l'infini ce titre : « Essais de ma vie, de mon jugement, de mes facultés naturelles, de la mort, etc. ».

1. *« Un registre des essais de ma vie »*

De fait, les occurrences du terme et de ses dérivés, en particulier le verbe « essayer », nombreuses sous la plume de Montaigne, signalent à plusieurs reprises le transfert d'une expérience de la vie (le dernier chapitre des *Essais* s'intitule justement « De l'expérience ») à une forme littéraire : « Toute cette fricassée que je barbouille ici, n'est qu'un registre des essais de ma vie » (III, 13). « Essais » ne désigne que rarement le titre de l'ouvrage, même si l'on en trouve quelques exemples, forcément tardifs puisqu'ils feront suite aux réactions suscitées par les premières éditions. En revanche, le terme peut désigner le processus même de l'écriture.

2. *Écrire, essayer*

Si la vie consiste à multiplier les essais et les expériences, intituler son livre « Essais », c'est faire le pari d'une écriture capable de rendre compte de cette vie, voire une écriture qui soit elle-même l'occasion d'une expérience. Dans « De l'institution des enfants » (I, 26),

Montaigne a souligné que, comme les abeilles (on se souvient de l'essaim) qui butinent les fleurs pour en faire leur miel, « qui est tout leur », l'écolier doit, à partir de ses lectures, « faire un ouvrage tout sien : à savoir son jugement », que l'on essaie constamment dans la vie :

> Le jugement est un outil à tous sujets, et se mêle partout. À cette cause, aux Essais que j'en fais ici, j'y emploie toute sorte d'occasion. Si c'est un sujet que je n'entende point, à cela même je l'essaie, sondant le gué de bien loin ; et puis, le trouvant trop profond pour ma taille, je me tiens à la rive ; et cette reconnaissance de ne pouvoir passer outre, c'est un trait de son effet, voire de ceux dont il se vante le plus. Tantôt, à un sujet vain et de néant, j'essaie voir s'il trouvera de quoi lui donner corps et de quoi l'appuyer et l'étançonner [l'étayer]. Tantôt je le promène à un sujet noble et tracassé [rebattu], auquel il n'a rien à trouver de soi, le chemin en étant si frayé qu'il ne peut marcher que sur la piste d'autrui. Là, il fait son jeu à élire la route qui lui semble la meilleure : et, de mille sentiers, il dit que celui-ci, ou celui-là, a été le mieux choisi. (« De Démocrite à Héraclite », I, 50)

Le jugement s'exerce sur différents sujets, de complexité diverse, fournis par des « occasions ». En réalité, c'est le monde qui d'abord nous met à l'épreuve, qui nous « assaill[e] et essay[e] » (I, 1). Puis le jugement met à son tour le monde à l'épreuve. Inspiré par la philosophie sceptique, Montaigne accepte pourtant de ne jamais parvenir à un jugement ferme et définitif. À l'image de l'emblème frappé sur sa médaille (une balance), ce jugement reste en suspens, voué à un perpétuel essai de soi : « Si mon âme pouvait prendre pied, je ne m'essaierais pas, je me résoudrais : elle est toujours en apprentissage et en épreuve » (III, 2).

3. *L'épreuve de la lecture*

Ce consentement à l'essai perpétuel, au gré des occasions, ne facilite pas la tâche du lecteur, fatalement perdu dans cette « bigarrure », cette « marqueterie mal jointe », cette pensée vagabonde et sinueuse, pétrie de contradictions et de digressions. Les titres des chapitres ne l'aident guère, puisque le contenu ne leur correspond pas forcément :

> Cette farcissure [digression] est un peu hors de mon thème. Je m'égare, mais plutôt par licence, que par mégarde. Mes fantaisies se suivent ; mais parfois, c'est de loin ; et se regardent, mais d'une vue oblique. [...] Les noms de mes chapitres n'en embrassent pas toujours la matière : souvent ils la dénotent seulement par quelque marque [...]. J'aime l'allure poétique, à sauts et à gambades. [...] C'est l'indiligent [inattentif] lecteur qui perd mon sujet, non pas moi. Il s'en trouvera toujours en un coin quelque mot, qui ne laisse d'être bastant [qui ne manque pas d'être suffisant], quoiqu'il soit serré. Je vais au change, indiscrètement et tumultuairement [sans mesure et sans ordre] : mon style et mon esprit vont vagabondant de même. (« Sur la vanité », III, 9)

Montaigne fait donc le pari d'un « suffisant lecteur », capable de passer outre le désordre et la difficulté, capable d'aller au-delà des apparences, à l'image de l'Avis qui, au seuil du livre, tend paradoxalement à en décourager la lecture : « Ainsi, lecteur, je suis moi-même la matière de mon livre : ce n'est pas raison que tu emploies ton loisir en un sujet si frivole et si vain. »

4. Une invitation à « produire infinis Essais »

Reflets de cette pensée en perpétuel mouvement, les phrases complexes, hachées, aux tournures abruptes et déroutantes, mais qui frappent parfois l'esprit, constituent une autre mise à l'épreuve. Il ne faut cependant pas « s'arrêter » à cela :

> Je sais bien, quand j'oie quelqu'un qui s'arrête au langage des *Essais*, que j'aimerais mieux qu'il s'en tût. Ce n'est pas tant élever les mots, comme déprimer [déprécier] le sens : d'autant plus piquamment, que plus obliquement. Si suis-je trompé si guère d'autres donnent plus à prendre en la matière : et comment que ce soit, mal ou bien, si nul écrivain l'a semée, ni guère plus matérielle, ni au moins plus drue, en son papier [Pourtant, si je ne m'abuse, il n'y a guère d'autres écrivains (que moi) qui fournissent une matière plus riche et, que ce soit un bien ou un mal, aucun écrivain n'en a semé de plus substantielle, de plus dense, en ses pages]. Pour en ranger davantage, je n'en entasse que les têtes. Que j'y attache leur suite, je multiplierai plusieurs fois ce volume. Et combien y ai-je épandu d'histoires, qui ne disent mot, lesquelles qui voudra éplucher un peu curieusement, en produira infinis Essais ? (« Considérations sur Cicéron », I, 39 / 40)

Montaigne joue ici de l'antithèse et de l'étymologie : rien n'est plus opposé à l'idée d'essai que le fait de « s'arrêter », de même que sont mis en balance les poids des mots (« élever les mots ») et du sens (« déprimer le sens »), le style « dru » et la matière substantielle. Les deux occurrences du mot « Essais » jouent sur un glissement : la première occurrence désigne tout simplement l'ouvrage, identifié par son titre puisque le passage cité ici figure dans les annotations ajoutées après 1588. La deuxième occurrence en revanche, également pourvue d'une majuscule, invite le lecteur à entrer à son tour dans un mouvement de production d'essais, sans qu'on sache s'il s'agira d'une production écrite (des *Essais sur les Essais*, à la façon de Michel Butor) ou simplement verbale, voire intérieure : dans les histoires mises à disposition par Montaigne, encore muettes, non interprétées («qui ne disent mot»), il y a matière à de nouvelles expériences, à de nouveaux et infinis essais...

3.

Des *Essais* à l'essai

D ans un premier temps les *Essais*, malgré l'admiration qu'ils suscitent, n'ont pas vraiment de postérité en France : traduits et publiés en anglais en 1603, c'est outre-Manche qu'ils trouvent le plus large écho.

1. *So British...*

L'Angleterre se met donc à écrire des *Essays*, à commencer par Francis Bacon (1561-1626), dont c'est le livre le plus connu. Chez John Locke, les sens méthodique et littéraire de l'essai se croisent de façon intéressante : son *Essai sur l'entendement humain* (1690), présenté comme le prolongement d'une agréable conversation entre amis, associe un mode d'écriture familier et la défense d'une méthode empirique, fondée sur l'expérience.

David Hume quant à lui, déçu par le peu d'écho rencontré par son *Traité de la nature humaine* (1739-1740), réfléchit à la manière de transmettre le savoir, de favoriser « l'entente entre le monde savant et celui de la conversation » :

> À ce point de vue, je ne peux m'empêcher de me considérer moi-même comme une sorte de ministre-résident ou d'ambassadeur arrivant du domaine du savoir vers celui de la conversation. » (« De l'écriture par essai », 1742)

C'est investi de cette mission qu'il publiera, en 1748, les *Essais philosophiques* (le titre finalement retenu sera *Enquête*) *sur l'entendement humain*.

2. *Un instrument de la lutte philosophique au XVIIIᵉ siècle*

À l'image d'un Voltaire, les Français, séduits par la pensée anglaise, se réapproprient l'essai, instrument souple et particulièrement adapté à l'esprit d'examen qui caractérise les Lumières. Les pratiques en sont très diverses. Ainsi Marivaux, inspiré par les journaux anglais, se livre-t-il à l'« essai périodique » :

> Il ne s'agit point ici d'ouvrage suivi : ce sont la plupart, des morceaux détachés, des fragments de pensée sur une infinité de sujets, et dans toutes sortes de tournures : réflexions gaies, sérieuses, morales, chrétiennes, beaucoup de ces deux dernières ; quelquefois des aventures, des dialogues, des lettres, des mémoires, des jugements sur différents auteurs, et partout un esprit de philosophie ; mais d'un philosophe dont les réflexions se sentent des différents âges où il a passé.
> (*Le Cabinet du philosophe*)

On perçoit dans ce propos l'influence du modèle présenté par Montaigne. À l'opposé de ces courts textes livrés périodiquement, l'*Essai sur les mœurs et l'esprit des nations* de Voltaire, ou l'*Essai sur les règnes de Claude et de*

Néron de Denis Diderot constituent de volumineux ouvrages, enrichis et remaniés au fil des éditions successives. Tous deux proposent une forme d'enquête (*enquiry* ou *essay* en anglais), où l'histoire est abordée de façon critique, et où pointe un aspect qui deviendra de plus en plus net : la dimension polémique tend à prendre le pas sur l'aspect méditatif, qui se trouve en revanche au centre des *Rêveries du promeneur solitaire*. Jean-Jacques Rousseau y prend congé d'un monde dans lequel il avait été jeté par la publication de son *Essai sur l'origine des langues*.

3. *L'essai au XIXᵉ siècle*

La question demeure : comment définir l'essai ? La notice consacrée à l'essai dans le *Grand Dictionnaire universel* de Pierre Larousse indique : « Les écrivains donnent souvent ce nom à des ouvrages dont le sujet, la forme, la disposition ne permettent pas de les classer sous un titre plus précis, dans un genre mieux déterminé. » Comme le dirait Montaigne, nous voilà au rouet !

La présence du mot « essai » dans le titre ne semble pas un critère suffisant, puisqu'il apparaît dans des ouvrages consacrés à la philosophie, à la politique, à la philologie, à l'histoire, à la religion, à l'esthétique, dans des textes courts ou longs, dans des recueils d'articles, etc. À défaut d'en dresser une liste longue et fastidieuse, on peut remarquer que, si l'essai connaît un tel succès au XIXᵉ siècle, c'est peut-être en raison du rôle dévolu à l'intellectuel. La Révolution française ayant mis fin à l'Ancien Régime et bousculé les croyances religieuses, la société manquerait de repères transcendants, et ce sont les écrivains qui deviendraient « les juges de la

société en même temps que ses soutiens » (Pierre Béni-
chou).

Dès le geste inaugural de Montaigne, se pose la question des frontières disciplinaires : oscillant entre littérature et philosophie, l'essai est une forme accueillante
à tous les discours et tous les sujets ; même les sciences
dites « dures » s'y trouvent bien. De même, ce rapide
panorama a prouvé combien il était tentant d'expliquer
le recours à l'essai par des considérations anthropolo-
giques, sociologiques ou politiques.

4.

« Le temps de l'essai » ?

Le XXᵉ siècle apporterait sur ces points des réponses
originales, notamment parce que la sphère littéraire aurait ressenti le besoin de marquer sa différence
avec les sciences humaines et de gagner une autonomie.

1. *Littérature et sciences humaines*

L'essayiste, on l'a vu avec Montaigne, se revendique
comme amateur, et non professionnel du savoir, il se
plaît à refuser le système et tout ce qu'il implique —
une thèse, un plan, des sources précises pour étayer son
propos… L'essai entretient donc un rapport paradoxal
avec le savoir. Faisant sien le mot de Charles Péguy (« ce
n'est pas une pensée, puisque c'est un système »), l'essayiste défendrait une manière de penser contre le
savoir institué. Or, au XXᵉ siècle, cet exercice de la pensée en viendrait à se confondre avec la littérature
elle-même : on n'écrit pas de la même manière une

œuvre de savoir et une œuvre littéraire. Seule cette dernière met au centre de ses préoccupations l'écriture, le
style, qui permettent (ou qui sont) la mise en forme
d'une pensée vivante.

C'est face au développement des sciences humaines
(anthropologie, sociologie, psychanalyse…), qui venaient
empiéter sur son territoire, que la littérature en serait
venue à réfléchir sur sa pratique. Malheureusement, les
problématiques actuelles de l'essai dépassent ces rivali-
tés. L'essai en général fait face à un autre adversaire,
bien plus redoutable, les médias et leur culture de la
communication.

2. *« Essais et documents » à l'ère des médias*

Aujourd'hui nous assistons à « l'accouplement des
essais et des documents ». Les « tops des ventes » affichés
dans les librairies de gare, les grandes surfaces ou
les magazines classent l'ensemble des livres en deux
grandes catégories : les romans d'un côté, les essais (et
documents) de l'autre. Or il y a loin du *Mythe de Sisyphe*
d'Albert Camus ou d'*Humanisme et terreur* de Maurice
Merleau-Ponty à *Qui sont ces couples heureux ?* d'Yvon
Dallaire, ouvrage de « développement personnel » pourtant rangé par ce classement dans la même catégorie.
Peut-être ce phénomène est-il lié à l'ère des médias, qui
favorisent une « littérature d'opportunité » d'autant
plus tentante que « l'essai vit la vie que lui accordent les
médias » (Éric Vigne). Or, bien loin de la « réponse en
kit, plus ou moins montée et prête à l'usage », le véritable essai « dérange et ne trouve pas sa place dans le
monde de la communication tant il est porté par son
propre inachèvement ».

3. *L'essai : un genre paradoxal et exigeant*

Fidèle à son essence, l'essai nous rappelle sans cesse que toute définition n'est finalement posée que pour être contestée ou transgressée : elle est bien « le point de départ d'une recherche multiforme et ouverte visant, sans trop de simplification, la clarté et la rigueur. Et non un dérisoire point d'arrivée » (Philippe Lejeune). On proposera donc pour finir deux définitions en regard. Essayez de les comprendre, essayez-les tout court ; à vous de faire l'essai de votre jugement :

> L'essai est un texte en prose […], à dominante non fictionnelle, de visée argumentative, mais dans lequel l'examen (la pesée du jugement) fonctionne — *idéalement* — sur un mode non dogmatique (de la véridicité conditionnelle), qu'imposent ou proposent, avec plus ou moins d'insistance, diverses stratégies (aveu ou revendication d'ignorance, prétérition, humour, mise en scène dialogique). Du coup l'essai se distingue et de la somme, par son refus de l'ambition d'exhaustivité, et du traité, par son caractère systématique et non apodictique. (Jean-François Louette)

> Il s'agit d'une expérience au cours de laquelle l'écrivain, parfois indirectement, non seulement s'engage, mais se met en contestation, se pose comme problème, conduit ses idées jusqu'au point où il est rejeté par elles, tire de ses épreuves personnelles un sens qui pourrait être recueilli par tous, fait de soi-même le héros d'une aventure dont la signification le dépasse. (Maurice Blanchot)

Une façon intéressante de faire évoluer ces définitions est d'envisager l'essai non plus du point de vue de sa production, mais du point de vue de sa réception, car « la forme que prend cette pensée sans savoir est perceptible dans le mode de circulation, les souvenirs que l'on garde d'un essai, ce que l'on en retient, ce que l'on en cite, la façon dont on le résume, bref, la façon dont on s'en sert» (Marielle Macé). C'est un texte qu'on lit crayon à la main, et dont on aime à souligner des phrases, des formules, réutilisables et remobilisables dans un autre essai : elles deviennent ainsi des «lieux communs», ce qui rapproche paradoxalement l'essai actuel de la rhétorique antique.

L'essai, quelques jalons

1580   Montaigne, *Essais* (1ʳᵉ édition).

1637   Descartes, *Discours de la méthode*.

1686   Fontenelle, *Entretiens sur la pluralité des mondes*.

1690   Locke, *Essai sur l'entendement humain*.

1748   Hume, *Essais philosophiques sur l'entendement humain*; Montesquieu, *L'Esprit des lois*.

1755   Rousseau, *Essai sur l'origine des langues*; *Discours sur l'origine et les fondements de l'inégalité parmi les hommes*.

1756-1778   Voltaire, *Essai sur les mœurs*.

1778-1782   Diderot, *Essai sur les règnes de Claude et de Néron*.

1797   Chateaubriand, *Essai sur les révolutions*.

1800   Mme de Staël, *De la littérature*.

1817   Lamennais, *Essai sur l'indifférence en matière de religion*.

1829   Constant, *Mélanges de littérature et politique*.

1835-1840   Tocqueville, *De la démocratie en Amérique*.

1849   Sainte-Beuve, *Les Lundis*.

1888   Renan, *L'Avenir de la science*; Bergson, *Essai sur les données immédiates de la conscience*.

1910   Péguy, *Notre jeunesse*.

1924   Valéry, *Variété I*.

Pour aller plus loin

Theodor W. ADORNO, « L'essai comme forme », *Notes sur la littérature*, Flammarion, 1984, p. 5-29.

L'Essai : métamorphoses d'un genre, textes réunis et présentés par P. GLAUDES, Toulouse, Presses universitaires du Mirail, 2002.

Histoire de la France littéraire, sous la dir. de M. PRIGENT, Paris, PUF, 2006, 3 vol.

Pierre GLAUDES et Jean-François LOUETTE, *L'Essai*, Hachette supérieur, 1999.

Marielle MACÉ, *Le Temps de l'essai : histoire d'un genre en France au XXe siècle*, Belin, 2006.

Annie PERRON, « Essai », in *Le Dictionnaire du littéraire*, PUF, 2002, p. 203-204.

Jean STAROBINSKI, « Peut-on définir l'essai ? », *Cahiers pour un temps*, n° 5, 1985, p. 185-196.

Yves TREMBLAY, *L'Essai : unicité du genre, pluralité des textes*, 1994.

Robert VIGNEAULT, *L'Écriture de l'essai*, Montréal, L'Hexagone, 1994.

L'écrivain à sa table
de travail

« À sauts et à gambades »

1.

Une œuvre toujours en mouvement ?

1. *Du vivant de Montaigne*

En 1580 paraît la première édition des *Essais*, en deux
livres, qui comptent respectivement 57 et 37 chapitres.
En 1588, une nouvelle édition (en fait la cinquième)
paraît, « augmentée du troisième livre et de six cents
additions aux deux premiers », comme l'indique la page
de titre. On a compté exactement 641 additions et
543 citations nouvelles. Le troisième livre ne comporte
que 13 chapitres, mais ils sont souvent considérés
comme les plus importants de l'œuvre.

2. *Publications posthumes*

En 1595, Marie de Gournay, « fille d'alliance » de
Montaigne, publie une édition posthume d'après les
additions (plus de 1 400) et corrections de Montaigne
postérieures à 1588. Pendant plusieurs siècles, cette
« édition nouvelle, trouvée après le décès de l'auteur,

revue et augmentée par lui d'un tiers plus qu'aux précédentes impressions » (c'est l'argument publicitaire qui figure sur la page de titre), a fait autorité.

Puis est venu le temps de l'« exemplaire de Bordeaux » : cet exemplaire de l'édition de 1588, abondamment annoté par Montaigne, est le dernier témoin autographe de la version finale des *Essais.* Il a commencé à être considéré comme plus fiable que l'édition de 1595, avec laquelle il ne correspond pas toujours, à partir du milieu du XIXe siècle. Les différences qui existent entre les deux versions du texte, et notamment la présence d'un éloge ému de Marie de Gournay à la fin du chapitre « De la présomption » (II, 17) qui ne figure pas dans l'exemplaire de Bordeaux, ont fait penser que la « fille d'alliance » de Montaigne avait ajouté des passages apocryphes. C'est pourquoi l'exemplaire de Bordeaux a servi de base, dans les années 1920-1930, à l'édition de Pierre Villey, qui devait rester, et pour longtemps, l'édition de référence. Une autre différence importante est le déplacement, dans l'édition de Marie de Gournay, du chapitre I, 14, devenu le chapitre I, 40, ce qui entraîne un décalage dans la numérotation de tous les chapitres intermédiaires (le chapitre « Des cannibales » est tantôt numéroté I, 31, suivant l'édition Villey, tantôt I, 30).

Mais, comme souvent dans l'histoire littéraire, la tendance s'est à nouveau inversée : depuis une dizaine d'années maintenant, la version de 1595 est à nouveau privilégiée par les spécialistes, comme en témoignent les deux dernières éditions, l'une érudite et critique, l'autre destinée à un plus large public. L'apparence matérielle de l'exemplaire de Bordeaux, surchargé d'annotations marginales et interlinéaires parfois illisibles, tend à prouver qu'il s'agissait d'un document de travail pour l'auteur, et non d'une copie destinée à l'imprimeur. On suppose aujourd'hui qu'a existé un autre exemplaire, corrigé et mis au net par Montaigne lui-même, la « Copie de Montaigne », l'« autre copie » dont parle Marie de Gournay dans sa préface à l'édition de 1595. Cet exemplaire n'existe plus.

Le fait que le texte ne soit, plus de quatre siècles après la mort de Montaigne, toujours pas fixé n'est pas dû au hasard. La façon dont Montaigne a conçu et écrit son livre laisse à penser que, si la mort ne l'avait pas interrompu, il aurait continué à l'enrichir inlassablement.

2.

« Si j'eusse eu à qui parler... »

Les critiques s'interrogent encore sur ce qui a conduit Montaigne à se lancer dans un projet d'écriture si particulier. Il a probablement commencé à écrire après avoir pris sa retraite parlementaire, vers 1572.

1. À l'origine des Essais : le mal de vivre ?

Il revient sur ce moment dans le court chapitre intitulé « De l'oisiveté » (I, 8), parfois considéré comme le « prologue » initial des Essais :

> Dernièrement que je me retirai chez moi, délibéré [décidé à] autant que je pourrais, ne me mêler d'autre chose que de passer en repos, et à part, ce peu qui me reste de vie : il ne me semblait pouvoir faire plus grande faveur à mon esprit que de le laisser en pleine

oisiveté, s'entretenir soi-même, et s'arrêter et rasseoir en soi.

Or il découvre que son esprit, inconstant, « faisant le cheval échappé », « se donne cent fois plus carrière à soi-même » qu'auparavant, au point de :

> enfanter tant de chimères et monstres fantasques les uns sur les autres, sans ordre et sans propos, que pour en contempler à mon aise l'ineptie et l'étrangeté, j'ai commencé de les mettre en rôle [d'en dresser la liste] : espérant avec le temps lui en faire honte à lui-même.

L'écriture aurait donc une vertu thérapeutique : elle permettrait de prendre le recul nécessaire pour voir clair en soi, et pour se guérir des maux provoqués par le loisir et la solitude. C'est ce que confirme un autre passage, où Montaigne s'adresse à Mme d'Estissac, dédicataire du chapitre « De l'affection des pères aux enfants » (II, 8) :

> C'est d'une humeur mélancolique, et par conséquent très ennemie de ma complexion naturelle, produite par le chagrin de la solitude, en laquelle il y a quelques années je m'étais jeté, qui m'a mis premièrement en tête cette rêverie de me mêler d'écrire.

2. À l'origine des Essais : la mort

La solitude qu'évoque Montaigne ne doit pas être rapportée qu'à sa retraite, toute relative. Le chapitre « De l'amitié » (I, 27/28) suggère un autre cheminement vers l'écriture. Montaigne y dit vouloir imiter la pratique du peintre, qui entoure son tableau de « grotesques, qui sont peintures fantasques » : ses Essais ne sont-ils pas, de même, « grotesques et corps monstrueux, rapiécés de divers membres, sans certaine figure [sans forme définie], n'ayant ordre, suite, ni proportion que fortuite » ? Mais que mettre au centre ? Montaigne, qui se sent incapable d'« un tableau riche, poli et formé selon l'art », s'est « avisé d'en emprunter un d'Étienne de La Boétie », le *Discours de la servitude volontaire*, « qu'il écrivit par manière d'essai, en sa prime jeunesse ». Cet « essai » révèle les aptitudes exceptionnelles de La Boétie : s'il avait vécu, il aurait eu la même idée que Montaigne (« il eût pris un tel dessein que le mien ») et il aurait écrit des *Essais* parfaits, beaux comme l'antique.

En mourant en 1563, La Boétie a laissé Montaigne « héritier de sa Bibliothèque et de ses papiers ». En 1571, Montaigne a publié un « livret de ses œuvres » à Paris. Reste le *Discours*, qui devait figurer exactement au centre des *Essais*. Or, dès la première édition, Montaigne prend prétexte de ce que « cet ouvrage a depuis été mis en lumière, et à mauvaise fin » par les protestants, pour lui « en substituer un autre », vingt-neuf sonnets amoureux, toujours d'Étienne de La Boétie. Il enlève ces sonnets de son livre après 1588 : dans l'exemplaire de Bordeaux, ils sont rayés de longs traits de plume, accompagnés de la mention « Ces vers se voient ailleurs ». Au cœur de ses *Essais*, Montaigne inscrit donc un vide, le vide que La Boétie lui a laissé à remplir en mourant et qu'il ne peut combler.

Avec La Boétie est aussi morte une partie de Montaigne : il tenait, écrit ce dernier dans une lettre à son père, une image de moi dans laquelle je me reconnaissais, qui était ma vérité et qui est morte avec lui. Avec La Boétie enfin, est morte l'« adresse forte et amie » à qui il aurait pu destiner ses lettres, « ouvrage auquel mes amis tiennent que je puis quelque chose. Et eusse pris plus volontiers cette forme à publier mes verves, si j'eusse eu à qui parler » (I, 39/40)…

3.

« Je suis moi-même
la matière de mon livre »

Pour combler un tel vide, quel objet choisir ?

> Et puis me trouvant entièrement dépourvu et vide de
> toute autre matière, je me suis présenté moi-même à
> moi pour argument et pour sujet. C'est le seul livre au
> monde de son espèce, et d'un dessein farouche et
> extravagant. (II, 8)

1. *« J'ose non seulement parler de moi : mais parler seulement de moi » (III, 8)*

Choisi à défaut de mieux, le « moi » est « un sujet si vil et si vain » (I, 8), « si frivole et si vain » (Au lecteur), mais le seul qui se présentât sous la main : « Je m'étudie plus qu'autre sujet. C'est ma métaphysique, c'est ma physique » (III, 13). Or, pour l'époque, c'est un sujet qui n'a pas sa place dans les Lettres. Vouloir en faire un livre résulte d'« un dessein farouche et extravagant », c'est-à-dire d'une drôle d'idée, d'autant plus que Montaigne se présente comme un homme médiocre, « de moyenne condition », qui n'a rien d'un héros. Mais ce livre ne serait destiné à « aucune fin, que domestique et privée », il serait voué « à la commodité particulière de mes parents et amis », à qui il permettrait de nourrir « plus entière et plus vive la connaissance qu'ils ont eue de moi » (Au lecteur). Il s'agirait donc, très modestement, de laisser une image de soi à ses proches.

2. « *Connais-toi toi-même* »

En se donnant pour objet d'étude, Montaigne ne cherche pas à se confesser, mais à se connaître, à s'analyser, en toute lucidité, dans un effort d'exhaustivité qui confine à l'exhibition : « […] si j'eusse été parmi ces nations qu'on dit vivre encore sous la douce liberté des lois de nature, je t'assure que je m'y fusse très volontiers peint tout entier, et tout nu » (Au lecteur). À défaut de cette nudité idéale, du moins se sera-t-il représenté sous tous les angles, « debout et couché ; le devant et le derrière ; à droite et à gauche ; et en tous [s]es naturels plis » (I, 8), et en profondeur, avec « les veines, les muscles, les tendons » (II, 6). Réfutant l'accusation possible de « présomption » (II, 17), il remarque :

> Par ces traits de ma confession, on en peut imaginer d'autres à mes dépens. Mais quel que je me fasse connaître, pourvu que je me fasse connaître tel que je suis, je fais mon effet.

3. « *Le sujet, c'est l'homme* »

Grâce à cette exigence, à cette lucidité, le sujet particulier peut s'ouvrir à l'humanité tout entière : « l'étude que je fais, duquel le sujet, c'est l'homme » (II, 17). Paradoxalement, ce « livre du moi » a valeur d'exemple parce que « chaque homme porte la forme entière de l'humaine condition » (III, 2) ; il ne prescrit pas, mais décrit :

> Les autres forment l'homme, je le récite ; et en représente un particulier bien mal formé : et lequel si j'avais à façonner de nouveau je ferais vraiment bien autre qu'il n'est ; meshui [désormais] c'est fait.

4.

« J'ajoute, mais je ne corrige pas »

Dans cette entreprise, Montaigne n'adopte pas le point de vue rétrospectif propre à l'autobiographie. Il choisit une autre manière d'inscrire le passage du temps dans son œuvre, poursuivie sur au moins vingt ans.

1. « Moi à cette heure, et moi tantôt, sommes bien deux » (III, 9)

C'est le principe de l'addition, qui lui permet par exemple d'ajouter, après la publication des deux premiers, un troisième livre, ce qu'il appelle l'« allongeail » :

> Laisse Lecteur courir encore ce coup d'essai, et ce troisième allongeail, du reste des pièces de ma peinture. J'ajoute, mais je ne corrige pas. (III, 9)

C'est pourquoi l'habitude a longtemps été prise de faire apparaître les strates successives des *Essais*. Tel est le choix de Pierre Villey, dont l'édition distingue la couche « A » (édition de 1580), la couche « B » (édition de 1588 : troisième livre et additions aux deux premiers livres) et la couche « C » (annotations de l'exemplaire de Bordeaux). La mise au jour de ces strates rend compte d'une écriture feuilletée. Ainsi du passage célèbre à propos du « coup de foudre » pour La Boétie :

> [A] Si on me presse de me dire pourquoi je l'aimais, je sens que cela ne se peut exprimer [C] qu'en répondant : « Parce que c'était lui, parce que c'était moi. »

De la négative de 1580, qui suggère quelque chose d'absolument ineffable, Montaigne fait finalement une restrictive qui ouvre sur deux propositions causales harmonieusement balancées, ajoutées l'une après l'autre sur l'exemplaire de Bordeaux. De nombreux autres exemples montreraient qu'il n'hésite pas à se contredire, fidèle en cela à la méthode de l'essai :

> Je ne puis assurer mon objet : il va trouble et chancelant, d'une ivresse naturelle. Je le prends en ce point, comme il est, en l'instant que je m'amuse à lui. Je ne peins pas l'être, je peins le passage : non un passage d'âge en autre, ou comme dit le peuple, de sept ans en sept ans, mais de jour en jour, de minute en minute. Il faut accommoder mon histoire à l'heure. Je pourrai tantôt changer, non de fortune seulement, mais aussi d'intention. C'est un contrôle [registre] de divers et muables accidents, et d'imaginations irrésolues et quand il y échoit [le cas échéant] contraires : soit que je sois autre moi-même, soit que je saisisse les sujets par autres circonstances et considérations. Tant y a que je me contredis bien à l'aventure, mais la vérité, comme disait Demades, je ne la contredis point. Si mon âme pouvait prendre pied, je ne m'essaierais pas, je me résoudrais : elle est toujours en apprentissage et en épreuve. (III, 2)

2. « *Et quand personne ne me lira, ai-je perdu mon temps... ? » (II, 18)*

Le parti pris actuel est de gommer au contraire ces différentes strates, parce que cela rend la lecture plus facile, mais aussi parce que l'hésitation, l'ondoiement de la pensée, qui n'est plus ramenée à l'une des trois dates, sont finalement plus fidèles à la volonté affichée par Montaigne : « mon livre est toujours un » (III, 9), dans une complexité contradictoire que la succession chronologique ne suffit pas à expliquer. En outre, on s'aperçoit que, contrairement aux apparences, Montaigne ne pratique pas seulement l'allongeail ; l'exemplaire de Bordeaux révèle combien il lui arrive de raturer, de corriger :

> En mes écrits même, je ne retrouve pas toujours l'air de ma première imagination [...] : et m'échaude souvent à corriger, et y mettre un nouveau sens, pour avoir perdu le premier qui valait mieux. (II, 12)

La question que pose le chapitre « Du démentir » révèle que la figure de l'interlocuteur, ami perdu, proche parent, lecteur idéal ou public indifférencié, a évolué et fait évoluer le projet des *Essais* :

> Et quand personne ne me lira, ai-je perdu mon temps, de m'être entretenu tant d'heures oisives, à pensements si utiles et agréables ? [...] Me peignant pour autrui, je me suis peint en moi, de couleurs plus nettes que n'étaient les miennes premières. Je n'ai pas plus fait mon livre que mon livre m'a fait. Livre consubstantiel à son auteur. D'une occupation propre. Membre de ma vie. Non d'une occupation et fin tierce et étrangère, comme tous autres livres. Ai-je perdu mon temps, de m'être rendu compte de moi, si continuellement, si curieusement ?

Pendant près de cinq siècles, des lecteurs assidus ont répondu non à cette question, puisant dans les *Essais* des leçons de vie et d'humanité, les faisant vivre aussi. Il faut rester vigilant, car :

> Il y a des volumes qui sont tièdes encore sous les doigts, comme une chair recrue d'amour, comme si le sang battait sous la peau fine, et aussi chaque nuit, dans le silence des grandes bibliothèques, il y a un livre glorieux dont vacille dans le noir et s'éteint la petite lumière, mais sans qu'on le sache encore, comme nous parvient après des siècles la nouvelle de l'extinction d'une étoile. (Julien Gracq)

5.

L'encyclopédie des *Essais*

Montaigne lui-même fut un grand lecteur : en témoignent, dans les *Essais*, les abondantes citations qui viennent illustrer, contredire ou nourrir la réflexion, en langue étrangère, le plus souvent en latin. On s'est parfois interrogé sur le rôle exact de ces citations : ont-elles constitué le moteur de l'écriture ? fourni un point de départ, une matière extérieure ? Si tel était le cas, il faudrait rapprocher les *Essais* des volumes de « miscellanées » (mélanges) qu'affectionnaient les humanistes, des célèbres *Adages* d'Érasme par exemple, où les expressions devenues proverbiales sont le prétexte à une méditation personnelle plus ou moins ample.

Toujours est-il que les *Essais* dessinent, par le jeu des références et des citations, une vaste « bibliothèque virtuelle », sorte d'équivalent dans le texte de la célèbre « librairie », située au troisième étage de la tour et ornée de sentences peintes, que Montaigne décrit avec amour et délectation dans le chapitre « De trois commerces » (III, 3). « C'est là [s]on siège », c'est là qu'il aime à passer son temps, en dialogue constant avec les livres et les auteurs du passé, qu'il lit surtout en grec et en latin. Le choix d'écrire en français en prend un tout autre relief.

6.

L'écriture des *Essais*

Montaigne proclame en effet une certaine méfiance à l'égard du langage «littéraire», apprêté, conforme aux règles de la rhétorique, et il revendique le droit de ne pas être éloquent à la manière cicéronienne : «Je l'eusse fait meilleur ailleurs, mais l'ouvrage eût été moins mien ; et sa fin principale et perfection, c'est d'être exactement mien» (III, 5). Outre que les *Essais* semblent héritiers du dialogue ou de la lettre familière, formes qui échappaient aux règles rhétoriques antiques :

> Au demeurant, mon langage n'a rien de facile et fluide : il est âpre, ayant ses dispositions libres et déréglées ; et me plaît ainsi, sinon par mon jugement, par mon inclination. Mais je sens bien que parfois je m'y laisse trop aller, et qu'à force de vouloir éviter l'art et l'affectation, j'y retombe d'une autre part : *breuis esse laboro / Obscurus fio* [je m'efforce d'être bref et je deviens obscur]. (II, 17)

Par fidélité à soi-même («Comme à taire, à dire aussi je suis tout simplement ma forme naturelle», II, 17), il subordonne le style à la pensée, et tous deux iront «à sauts et à gambades» :

> Je tords bien plus volontiers une belle sentence pour la coudre sur moi, que je ne détords mon fil pour l'aller quérir. Au rebours, c'est aux paroles à servir et à suivre, et que le Gascon y arrive, si le Français n'y peut aller. Je veux que les choses surmontent et qu'elles remplissent de façon l'imagination de celui qui écoute, qu'il n'ait aucune souvenance des mots. Le parler que j'aime, c'est un parler simple et naïf, tel sur le papier

qu'en la bouche ; un parler succulent et nerveux, court et serré, non tant délicat et peigné comme véhément et brusque. *Haec demum sapiet dictio, quae feriet* [En fait, l'expression qui frappe, c'est la bonne.] (I, 25 / 26)

Le goût de ces formules incisives, percutantes, constitue l'une des caractéristiques de l'essai qui, autant qu'il aime citer, a la particularité d'être « citable » : selon Blaise Pascal, la manière d'écrire de Montaigne est celle « qui demeure plus dans la mémoire et qui se fait le mieux citer… ». C'est ainsi que peuvent s'engendrer aussi, comme l'espérait leur auteur, d'« infinis Essais »…

Pour aller plus loin

Michel DE MONTAIGNE *Les Essais*, édition établie par J. Balsamo, M. Magnien et C. Magnien-Simonin, avec la collaboration d'A. Legros, Gallimard, « Bibliothèque de la Pléiade », 2007 (texte non modernisé, mais apparat critique érudit et solide).

Michel DE MONTAIGNE, *Les Essais*, édition établie sous la direction de J. Céard, Paris, Livre de poche, « La Pochothèque », 2001 (texte modernisé, apparat critique allégé, qui permet une lecture plus aisée).

Groupement de textes

« Je est un autre »

DANS SES *ESSAIS*, Montaigne livre un autoportrait en mouvement, dans lequel le moi varie, jusqu'à se faire parfois autre. Si « l'autre », c'est *a priori* celui qui n'est pas moi, il arrive aussi que l'on se perçoive « soi-même comme un autre » (Paul Ricœur).

1.

Le « je » de l'autobiographe

Jean-Jacques ROUSSEAU (1712-1778)

Les Confessions, livre I (1782)

(« Folio classique » n° 2776)

En ouverture de son Discours sur les sciences et les arts *comme à celle des trois dialogues qui composent* Rousseau juge de Jean-Jacques *(écrits entre 1772 et 1776),* Rousseau *a placé cette citation d'Ovide :* « Barbarus hic ego sum, quia non intelligor illis » *(Pour eux je suis un barbare parce qu'ils ne me comprennent pas). Cette citation est révélatrice de ce que fut Rousseau pour ses contemporains, aussi bien en tant que philosophe qu'en tant qu'homme. Ses écrits philosophiques s'attachent à montrer l'opposition radicale qui sépare l'homme naturel, qui vit seul, sans langage, sans moralité mais heureux, inaccessible à la division intérieure comme à l'oppression, et l'homme en société, malheureux, dénaturé, disloqué, ayant substitué le paraître à l'être, l'opacité à la transparence. Dans ce processus d'aliénation, l'amour de soi, légitime et naturel, s'est perverti en amour-propre, qui nous incite à nous comparer à autrui, à chercher notre bonheur dans le regard des autres. Or, à l'enquête philosophique menée de 1750 à 1762 succède une enquête autobiographique, troublante illustration de ce qui a été théorisé : c'est la révélation par Voltaire de l'abandon de ses enfants qui déclenche la rédaction des* Confessions *(1764-1769), publiées en 1782 (six premiers livres) et 1789 (six derniers), « seul monument sûr de mon caractère qui n'ait pas été défiguré par mes ennemis ». Celles-ci s'ouvrent sur l'affirmation apparemment tonitruante d'un « je » peut-être moins unifié qu'il n'y paraît :*

Intus et in cute[1].

Je forme une entreprise qui n'eut jamais d'exemple et dont l'exécution n'aura point d'imitateur. Je veux montrer à mes semblables un homme dans toute la vérité de la nature ; et cet homme ce sera moi.

Moi seul. Je sens mon cœur et je connais les hommes. Je ne suis fait comme aucun de ceux que j'ai vus ; j'ose croire n'être fait comme aucun de ceux qui existent. Si je ne vaux pas mieux, au moins je suis autre. Si la nature a bien ou mal fait de briser le moule dans lequel elle m'a jeté, c'est ce dont on ne peut juger qu'après m'avoir lu.

Que la trompette du Jugement dernier sonne quand elle voudra, je viendrai, ce livre à la main, me présenter devant le souverain juge. Je dirai hautement : « Voilà ce que j'ai fait, ce que j'ai pensé, ce que je fus. J'ai dit le bien et le mal avec la même franchise. Je n'ai rien tu de mauvais, rien ajouté de bon, et s'il m'est

---

1. Épigraphe tirée du poète latin Perse, qui signifie : « Intérieurement et sous la peau ».

arrivé d'employer quelque ornement indifférent, ce n'a jamais été que pour remplir un vide occasionné par mon défaut de mémoire ; j'ai pu supposer vrai ce que je savais avoir pu l'être, jamais ce que je savais être faux. Je me suis montré tel que je fus ; méprisable et vil quand je l'ai été, bon, généreux, sublime quand je l'ai été [...].

Jean-Jacques ROUSSEAU
Les Rêveries du promeneur solitaire (1776-1778)
(« Folio classique » n° 186)

Dans toute entreprise autobiographique, existe au minimum un écart qui se creuse entre le « je » narrant et le « je » narré, entre le « je » qui écrit et celui qui a vécu. Chez Rousseau cependant, cet écart est moindre que celui qui sépare l'être et le paraître et dont l'expression culmine dans Rousseau juge de Jean-Jacques, *dialogues qui témoignent contre le « complot universel » orchestré par Diderot et qui défigure Rousseau aux yeux du public. Ces* Dialogues *sont censés dire une vérité que Rousseau est seul à connaître, au moyen d'un dispositif très particulier : le personnage Rousseau a pour interlocuteur un Français (désigné comme tel) disposé à réviser son jugement sur Jean-Jacques (ou « J.J. »). On les a longtemps lus comme un symptôme du délire paranoïaque de Rousseau, mais sans doute faut-il les interpréter aussi comme une étape nécessaire avant l'apaisement, la réconciliation avec soi-même que célèbrent* Les Rêveries du promeneur solitaire. *Jean-Jacques et Rousseau y (re)trouvent leur unité.*

Me voici donc seul sur la terre, n'ayant plus de frère, de prochain, d'ami, de société que moi-même. Le plus sociable et le plus aimant des humains en a été proscrit par un accord unanime. Ils ont cherché dans les raffinements de leur haine quel tourment pouvait être le plus cruel à mon âme sensible, et ils ont brisé violemment tous les liens qui m'attachaient à eux. J'aurais aimé les hommes en dépit d'eux-mêmes. Ils n'ont pu qu'en cessant de l'être se dérober à mon affection. Les voilà donc étrangers, inconnus, nuls enfin pour moi puisqu'ils l'ont voulu. Mais moi, détaché d'eux et de tout, que suis-je moi-même ? Voilà ce qui me reste à chercher. Malheureusement cette recherche doit être précédée d'un coup d'œil sur ma position. C'est une idée par laquelle il faut nécessairement que je passe pour arriver d'eux à moi. [...]

Seul pour le reste de ma vie, puisque je ne trouve qu'en moi la consolation, l'espérance et la paix, je ne dois ni ne veux plus m'occuper que de moi. C'est dans cet état que je reprends la suite de l'examen sévère et sincère que j'appelai jadis mes *Confessions*. Je consacre mes derniers jours à m'étudier moi-même et à préparer d'avance le compte que je ne tarderai pas à rendre de moi. Livrons-nous tout entier à la douceur de converser avec mon âme puisqu'elle est la seule que les hommes ne puissent m'ôter. Si à force de réfléchir sur mes dispositions intérieures je parviens à les mettre en meilleur ordre et à corriger le mal qui peut y rester, mes méditations ne seront pas entièrement inutiles, et quoique je ne sois plus bon à rien sur la terre, je n'aurai pas tout à fait perdu mes derniers jours. [...]

Je ferai sur moi-même à quelque égard les opérations que font les physiciens sur l'air pour en connaître l'état journalier. J'appliquerai le baromètre à mon âme, et ces opérations bien dirigées et longtemps répétées me pourraient fournir des résultats aussi sûrs que les leurs. Mais je n'étends pas jusque-là mon entreprise. Je me contenterai de tenir le registre des opérations sans chercher à les réduire en système. Je fais la même entreprise que Montaigne, mais avec un but tout contraire au sien : car il n'écrivait ses *Essais* que pour les autres, et je n'écris mes rêveries que pour moi. Si dans mes plus vieux jours aux approches du départ, je reste, comme je l'espère, dans la même disposition où je suis, leur lecture me rappellera la douceur que je goûte à les écrire, et faisant renaître ainsi pour moi le temps passé, doublera pour ainsi dire mon existence. En dépit des hommes je saurai goûter encore le charme de la société et je vivrai décrépit avec moi dans un autre âge, comme je vivrais avec un moins vieux ami.

L'entreprise de Rousseau repose cependant sur la croyance dans un sujet conscient, caractéristique de l'autobiographie classique : «Oui, je suis dupe. Je crois qu'on peut s'engager à dire la vérité; je crois à la transparence du langage, et en l'existence d'un sujet plein qui s'exprime à travers lui […]. Je crois que quand je dis "je", c'est moi qui parle : je crois au Saint Esprit de la première personne» (Philippe Lejeune).

Nathalie SARRAUTE (1900-1999)

Enfance (1938)

(«Folioplus classiques» n° 28)

Or le personnage de l'autobiographie ne peut échapper aux profondes transformations que subit la notion de personne au XXe siècle, notamment grâce aux avancées de la psychanalyse qui révèlent que «le moi n'est pas maître dans sa propre maison» et entraînent une sévère remise en cause du genre tel qu'il semble établi. Le sujet parlant est comme miné de l'intérieur par divers jeux sur l'instance d'énonciation. La narratrice d'Enfance est dédoublée — les deux instances étant situées dans la même temporalité — et cette forme dialogique permet le surgissement du doute sur le «tout cuit» des souvenirs, une vigilance du sujet sur lui-même.

— Une fois pourtant… tu te rappelles… .
— Mais c'est ce que j'ai senti longtemps après… tu sais bien que sur le moment…
— Oh, même sur le moment… et la preuve en est que ces mots sont restés en toi pour toujours, des mots entendus cette unique fois… un petit dicton…
— Maman et Kolia faisaient semblant de lutter, ils

s'amusaient, et j'ai voulu participer, j'ai pris le parti de maman, j'ai passé mes bras autour d'elle comme pour la défendre et elle m'a repoussée doucement… « Laisse donc… femme et mari sont un même parti. » Et je me suis écartée…

— Aussi vite que si elle t'avait repoussée violemment…

— Et pourtant sur le moment ce que j'ai ressenti était très léger… c'était comme le tintement d'un verre doucement cogné…

— Crois-tu vraiment ?

— Il m'a semblé sur le moment que maman avait pensé que je voulais pour de bon la défendre, que je la croyais menacée, et elle a voulu me rassurer… Laisse… ne crains rien, il ne peut rien m'arriver… « Femme et mari sont d'un même parti. »

— Et c'est tout ? Tu n'as rien senti d'autre ? Mais regarde… maman et Kolia discutent, s'animent, ils font semblant de se battre, ils rient et tu t'approches, tu enserres de tes bras la jupe de ta mère et elle se dégage… « Laisse donc, femme et mari sont un même parti »… l'air un peu agacé…

— C'est vrai… je dérangeais leur jeu.

— Allons, fais un effort…

— Je venais m'immiscer… m'insérer là où il n'y avait pour moi aucune place.

— C'est bien, continue…

— J'étais un corps étranger… qui gênait…

— Oui : un corps étranger. Tu ne pouvais pas mieux dire. C'est cela que tu as senti alors et avec quelle force… Un corps étranger… Il faut que l'organisme où il s'est introduit tôt ou tard l'élimine…

— Non, cela, je ne l'ai pas pensé…

— Pas pensé, évidemment pas, je te l'accorde… c'est apparu, indistinct, irréel… un promontoire inconnu qui surgit un instant du brouillard… et de nouveau un épais brouillard le recouvre…

— Non, tu vas trop loin…

— Si. Je reste tout près, tu le sais bien.

Roland BARTHES (1915-1980)
Roland Barthes par Roland Barthes (1975)
(Seuil)

Roland Barthes, figure la plus célèbre du structuralisme, a (fait inhabituel) lui-même écrit et signé le volume qui lui est consacré dans la collection «Écrivains de toujours». Après une série de photographies assorties de commentaires, le propos s'organise en articles, présentés dans un ordre (plus ou moins) alphabétique. À plusieurs reprises, mais de façon non systématique, la première personne habituelle se mue en troisième personne, instaurant une différence entre le «je» présent et l'ancien, devenu «il». Le propos étant souvent complexe, nous n'avons retenu que des extraits des articles choisis.

«J'aime, je n'aime pas»
J'aime : la salade, la cannelle, le fromage, les piments, la pâte d'amandes, l'odeur du foin coupé (j'aimerais qu'un «nez» fabriquât un tel parfum), les roses, les pivoines, la lavande, le champagne, des positions légères en politique, Glenn Gould, la bière excessivement glacée, les oreillers plats, le pain grillé, les cigares de havane, Haendel, les promenades mesurées, les poires, les pêches blanches ou de vigne, les cerises, les couleurs, les montres, les stylos, les plumes à écrire, les entremets, le sel cru, les romans réalistes, le piano, le café, Pollock, Twombly, toute la musique romantique, Sartre, Brecht, Verne, Fourier, Eisenstein, les trains, le médoc, le bouzy, avoir la monnaie, *Bouvard et Pécuchet*, marcher en sandales le soir sur de petites routes du Sud-Ouest, le coude de l'Adour vu de la maison du docteur L., les Marx Brothers, le serrano à sept heures du matin en sortant de Salamanque, etc.
Je n'aime pas : les loulous blancs, les femmes en pantalon, les géraniums, les fraises, le clavecin, Miró, les tautologies, les dessins animés, Arthur Rubinstein, les

villas, les après-midi, Satie, Bartok, Vivaldi, téléphoner, les chœurs d'enfants, les concertos de Chopin, les bransles de Bourgogne, les danceries de la Renaissance, l'orgue, M.-A. Charpentier, ses trompettes et ses timbales, le politico-sexuel, les scènes, les initiatives, la fidélité, la spontanéité, les soirées avec des gens que je ne connais pas, etc.

Je n'aime, je n'aime pas : cela n'a aucune importance pour personne ; cela, apparemment, n'a pas de sens. Et pourtant tout cela veut dire : mon corps n'est pas le même que le vôtre. Ainsi, dans cette écume anarchique des goûts et des dégoûts, sorte de hachurage distrait, se dessine peu à peu la figure d'une énigme corporelle, appelant complicité ou irritation. Ici commence l'intimidation du corps, qui oblige l'autre à me supporter *libéralement*, à rester silencieux et courtois devant des jouissances ou des refus qu'il ne partage pas.

(Une mouche m'agace, je la tue : on tue ce qui vous agace. Si je n'avais pas tué la mouche, c'eût été *par pur libéralisme* : je suis libéral pour ne pas être un assassin.)

« Le livre du Moi »

Ses « idées » ont quelque rapport avec la modernité, voire avec ce qu'on appelle l'avant-garde (le sujet, l'Histoire, le sexe, la langue) ; mais il résiste à ses idées : son « moi », concrétion rationnelle, y résiste sans cesse. Quoiqu'il soit fait apparemment d'une suite d'« idées », ce livre n'est pas le livre de ses idées ; il est le livre du Moi, le livre de mes résistances à mes propres idées ; c'est un livre récessif (qui recule, mais aussi, peut-être, qui prend du recul).

Tout ceci doit être considéré comme dit par un personnage de roman — ou plutôt par plusieurs. Car l'imaginaire, matière fatale du roman et labyrinthe des dedans dans lesquels se fourvoie celui qui parle de lui-même, l'imaginaire est pris en charge par plusieurs masques (*personae*), échelonnés selon la profondeur de la scène (et cependant personne derrière). Le livre ne choisit pas, il fonctionne par alternance, il marche par bouffées d'imaginaire simple et d'accès critique, mais ces accès eux-mêmes ne sont jamais que des effets de retentissement : pas de plus pur imaginaire que la critique (de soi). La substance de ce livre, finalement, est donc totalement romanesque. L'intrusion, dans le discours de l'essai, d'une troisième personne qui ne renvoie cependant à aucune créature fictive, marque la nécessité de remodeler les genres : que l'essai s'avoue presque un roman : un roman sans noms propres.

« La personne divisée »

Pour la métaphysique classique, il n'y avait aucun inconvénient à « diviser » la personne (Racine : « j'ai deux hommes en moi »)) ; bien au contraire, pourvue de deux termes opposés, la personne marchait comme un bon paradigme (haut / bas ; chair / esprit ; ciel / terre) ; les parties en lutte se réconciliaient dans la fondation d'un sens : le sens de l'Homme. C'est pourquoi, lorsque nous parlons aujourd'hui d'un sujet divisé, ce n'est nullement pour reconnaître ses contradictions simples, ses doubles postulations, etc. ; c'est une diffraction qui est visée, un éparpillement dans le jeté duquel il ne reste plus ni noyau principal ni structure de sens : je ne suis pas contradictoire, je suis dispersé.

« Moi, je »

Pronoms dits personnels : tout se joue ici, je suis enfermé à jamais dans la lice pronominale : « je » mobilise l'imaginaire, « vous » et « il » la paranoïa. Mais aussi, fugitivement, selon le lecteur, tout, comme les reflets d'une moire, peut se retourner : dans « moi, je », « je » peut n'être pas moi, qu'il casse d'une façon carnavalesque ; je puis me dire « vous », comme Sade le faisait, pour détacher en moi l'ouvrier, le fabricant, le producteur d'écriture, le sujet de l'œuvre (l'Auteur) ; d'un autre côté, ne pas parler de soi peut vouloir dire : je suis Celui qui ne parle pas de lui ; et parler de soi en disant « il », peut vouloir dire : je parle de moi comme d'un peu mort, pris dans une légère brume d'emphase paranoïaque, ou encore : je parle de moi à la façon de l'acteur brechtien qui doit distancer son personnage : le « montrer », non l'incarner, et donner à son débit comme une chiquenaude dont l'effet est de décoller le pronom de son nom, l'image de son support, l'imaginaire de son miroir (Brecht recommandait à l'acteur de penser tout son rôle à la troisième personne).

2.

Le « moi » de l'écrivain

Marcel PROUST (1871-1922)

Contre Sainte-Beuve (1952)

(« Folio essais » n° 68)

Ainsi peut-on explorer une autre direction, celle d'un questionnement sur le dédoublement que vit l'écrivain et qui semble approfondir l'opposition entre être et paraître, entre ce que Proust appelle le « moi profond » et le « moi social ». Cette distinction naît à la faveur d'une réflexion sur la méthode critique employée par Sainte-Beuve.

L'œuvre de Sainte-Beuve n'est pas une œuvre profonde. La fameuse méthode, qui en fait, selon Taine, selon Paul Bourget et tant d'autres, le maître inégalable de la critique du XIXᵉ, cette méthode, qui consiste à ne pas séparer l'homme et l'œuvre, à considérer qu'il n'est pas indifférent pour juger l'auteur d'un livre, si ce livre n'est pas « traité de géométrie pure », d'avoir d'abord répondu aux questions qui paraissent les plus étrangères à son œuvre (comment se comportait-il, etc.), à s'entourer de tous les renseignements possibles sur un écrivain, à collationner ses correspondances, à interroger les hommes qui l'ont connu, en causant avec eux s'ils vivent encore, en lisant ce qu'ils ont pu écrire sur lui s'ils sont morts, cette méthode méconnaît ce qu'une fréquentation un peu profonde avec nous-mêmes nous apprend : qu'un livre est le produit d'un autre moi que celui que nous manifestons dans nos habitudes, dans la société, dans nos vices. Ce moi-là, si nous voulons essayer de le comprendre, c'est au fond de nous-mêmes, en essayant de le recréer en nous, que nous pouvons y parvenir. Rien ne peut nous dispenser de cet effort de notre cœur. Cette vérité, il nous faut la faire de toutes pièces et il est trop facile de croire qu'elle nous arrivera, un beau matin, dans notre courrier, sous forme d'une lettre inédite, qu'un bibliothécaire de nos amis nous communiquera, ou que nous la recueillerons de la bouche de quelqu'un qui a beaucoup connu l'auteur.

[...]

En réalité, ce qu'on donne au public, c'est ce qu'on a écrit seul, pour soi-même, c'est bien l'œuvre de soi. Ce qu'on donne à l'intimité, c'est-à-dire à la conversation (si raffinée soit-elle, et la plus raffinée est la pire de toutes, car elle fausse la vie spirituelle en se l'associant : les conversations de Flaubert avec sa nièce et l'horloger sont sans danger) et ces productions destinées à l'intimité, c'est-à-dire rapetissées au goût de quelques personnes et qui ne sont guère que de la conversation écrite, c'est l'œuvre d'un soi bien plus extérieur, non pas du moi profond qu'on ne retrouve qu'en faisant abstraction des autres et du moi qui connaît les autres, le moi qui a attendu pendant qu'on était avec les autres, qu'on sent bien le seul réel, et pour lequel seuls les artistes finissent pas vivre, comme un dieu qu'ils quittent de moins en moins et à qui ils ont sacrifié une vie qui ne sert qu'à l'honorer.

Blaise CENDRARS (1887-1961)

Moravagine (1926)

(Grasset)

*Une réflexion du même ordre, quoique autrement formulée,
se donne à lire sous la plume de Blaise Cendrars.*

Je ne crois pas qu'il y ait des sujets littéraires, ou plutôt il n'y en a qu'un : l'homme.

Mais quel homme ? L'homme qui écrit, pardine, il n'y
a pas d'autre sujet possible.

Qui est-ce ? En tout cas, ce n'est pas moi, c'est l'Autre.
Je suis l'Autre, écrit Gérard de Nerval au bas de l'une
de ses très rares photographies.

Mais qui est cet Autre ?

Peu importe. Vous rencontrez un type par hasard et
vous ne le revoyez jamais plus. Un beau jour, ce monsieur réapparaît dans votre conscience et vous
emmerde durant dix ans. Ce n'est pas toujours quelqu'un d'aigu ; il peut être amorphe, voire neutre.

C'est ce qui m'est arrivé avec le sieur Moravagine. Je
voulais me mettre à écrire, il avait pris ma place. Il était
là, installé au fond de moi-même comme dans un fau-
teuil. J'avais beau le secouer, me démener, il ne voulait pas changer de place. « J'y suis, j'y reste ! » avait-il
l'air de dire. C'était un drame affreux. Avec le temps,
je me mis à remarquer que cet Autre s'appropriait tout
ce qui m'arrivait dans la vie et qu'il se parait de tous
les traits que je pouvais observer autour de moi. Mes
pensées, mes études favorites, ma façon de sentir, tout
convergeait vers lui, était à lui, le faisait vivre. J'ai
nourri, élevé un parasite à mes dépens. À la fin, je ne
savais plus qui de nous deux plagiait l'autre. Il a voyagé
à ma place. Il a fait l'amour à ma place. Mais il n'y a
jamais eu de réelle identification car chacun était soi,
moi et l'Autre. Tragique tête-à-tête qui fait que l'on ne
peut écrire qu'un livre ou plusieurs fois le même livre.
C'est pourquoi tous les beaux livres se ressemblent. Ils

sont tous autobiographiques. C'est pourquoi il n'y a qu'un seul sujet littéraire : l'homme. C'est pourquoi il n'y a qu'une littérature : celle de cet homme, l'Autre, l'homme qui écrit.

Pour aller plus loin

Outre les travaux de Philippe LEJEUNE consacrés à l'autobiographie (*Le Pacte autobiographique ; Je est un autre ; Moi aussi*, etc.), on pourra consulter l'ouvrage de Jeannette DEN TOONDER, *Qui est je ? L'écriture autobiographique des nouveaux romanciers* (Peter Lang, 1999).

Le « je » est également un outil romanesque précieux, une voix narrative sur laquelle le soupçon peut porter, comme dans *La Chute* d'Albert CAMUS, *Le Bavard* de Louis-René DES FORÊTS ou, sur un mode plus ludique, dans *Piège pour Cendrillon* de Sébastien JAPRISOT, dont la narratrice est amnésique.

Chronologie

Michel de Montaigne
et son temps

« S'IL Y A QUELQUE PERSONNE, quelque bonne compagnie, aux champs, en la ville, en France ou ailleurs, resséante ou voyagère [sédentaire ou voyageuse], à qui mes humeurs soient bonnes, de qui les humeurs me soient bonnes, il n'est que de siffler en paume, je leur irai fournir des Essais, en chair et en os » (III, 5).

Tout ce qu'on sait, ou presque, de la vie de Montaigne se trouve dans ses *Essais*. Mais le contenu en est d'une part lacunaire (on ne saura rien, par exemple, de ses études universitaires), d'autre part donné dans un désordre qui oblige à reconstituer, vaille que vaille, une chronologie : «mes contes prennent place selon leur opportunité, non toujours selon leur âge » (III, 9).

1.

Les années de formation (1533-1555)

Le 28 février 1533, entre 11 heures et midi, Michel Eyquem naît au château de Montaigne, en Périgord. C'est le troisième fils (mais premier survivant) de

Pierre Eyquem de Montaigne, anobli en 1519, devenu à son retour des guerres d'Italie «premier jurat et prévôt» de Bordeaux, le «si bon père», le «meilleur des pères» longuement et affectueusement évoqué dans les *Essais*, et d'Antonine de Louppes, une mère dont les quelques documents d'archives retrouvés révèlent des relations difficiles avec son fils, qui ne la mentionne que rarement et ne la nomme même pas. Suivront quatre frères et trois sœurs.

Constatant la difficulté qu'il y a à apprendre le latin et le grec, son père confie Michel, «en nourrice et avant le premier dénouement de [s]a langue», à un Allemand qui ne lui parle qu'en latin. Quant au grec, il l'apprendra de façon ludique. Tout son entourage se met à latiniser, si bien que «j'avais plus de six ans avant que j'entendisse non plus de français ou de périgourdin que d'arabesque [d'arabe]» (I, 25/26).

C'est l'âge auquel, vers 1539, il entre au collège («vraie geôle de jeunesse captive») de Guyenne, à Bordeaux, pour en sortir sept ans plus tard. On ne sait rien ou presque de son cursus universitaire entre 1547 et 1555 : il a sans doute suivi d'abord les cours de la faculté des arts de Bordeaux, avant des études de droit, peut-être à Toulouse. En 1555, Montaigne est nommé conseiller à la cour des aides de Périgueux, sur résignation de son oncle, Pierre Eyquem le Jeune.

1534	Affaire des Placards (octobre).
1536	Mort d'Érasme et de Lefèvre d'Étaples.
1539	Ordonnance de Villers-Cotterêts ; grève des imprimeurs à Lyon.
1540	Édit de Fontainebleau ; mort de Budé.

1545   Début du concile de Trente (jusqu'en 1563).

1546   Supplice de Dolet; mort de Luther.

1547   Mort de François Ier; Henri II devient roi.

1548   Henri II institue la « Chambre ardente » pour réprimer l'hérésie.

1549   Mort de Marguerite de Navarre.

1553   Mort de Rabelais.

2.

Montaigne parlementaire (1556-1570)

La cour des aides de Périgueux est supprimée en 1556 et ses membres sont nommés au parlement de Bordeaux. Montaigne est intégré à la chambre des enquêtes en 1561 : il y est rapporteur, chargé de rédiger, sur les dossiers de droit civil qu'on lui confie, la synthèse des arguments des deux parties et de proposer une décision préparatoire à la sentence qui sera prononcée. Il résigne sa charge en 1570.

Entre 1557 et 1559, il rencontre Étienne de La Boétie, avec qui il noue une intense amitié, interrompue par une mort brutale à l'été 1563. En 1559 et 1561, il se rend à Paris, peut-être par ambition politique.

Le 22 septembre 1565, Montaigne épouse Françoise de La Chassaigne — qu'il fréquentera, comme il se doit pour la procréation, « rarement et à notables intervalles » (III, 5). Le 18 juin 1568, son père meurt, âgé de soixante-treize ans. Montaigne, l'aîné, reçoit en succession le château et les terres de Montaigne.

Il publie sa traduction de *La Théologie naturelle de R. Sebond* en janvier 1569 à Paris. L'épître de dédicace, adressée à son père, est symboliquement datée du 18 juin 1568. C'est au cours de cette année, ou de l'année suivante, qu'il fait une chute de cheval relatée dans le chapitre « De l'exercitation » (II, 6), expérience fondatrice de sa relation à la mort et de son projet d'écriture.

28 juin 1570 : naissance de son premier enfant, dite Toinette, qui ne vivra que deux mois.

En novembre, il fait imprimer à Paris, chez Fédéric Morel, son édition des *Œuvres* de La Boétie. Le volume paraît à la date de 1571, précédé de nombreux liminaires.

1556   Abdication de Charles Quint.

1559   Mort d'Henri II : François II devient roi ; traité du Cateau-Cambrésis.

1560   Conjuration d'Amboise (mars) ; mort de Du Bellay ; mort de François II (décembre) : Catherine de Médicis devient régente de Charles IX.

1562   Massacre de Wassy, qui marque le début des guerres de Religion ; première guerre civile (mars 1562-mars 1563).

1567   Deuxième guerre civile (septembre 1567-mars 1568).

1568   Troisième guerre civile (août 1568-août 1570).

3.

Le temps des *Essais* (1571-1580)

En 1571, Montaigne prend sa retraite parlementaire, célébrée par une inscription en latin apposée dans la bibliothèque qu'il s'est fait aménager :

> En l'an de Christ 1571, âgé de 38 ans, la veille des
> calendes de Mars, jour anniversaire de sa naissance,
> lassé depuis longtemps du service de la cour et des
> charges publiques, tandis qu'encore indemne il brû-
> lait de se nicher au giron des doctes Vierges pour y
> achever, serein et sans aucun souci, la si petite portion
> de trajet qu'il lui reste à parcourir si les destins le lui
> permettent, Michel de Montaigne a consacré ce domi-
> cile, doux refuge qu'il tient de ses pères, à sa liberté,
> à sa tranquillité et à son loisir.

C'est probablement alors que débute l'écriture des
Essais. Montaigne lit aussi Sénèque et Plutarque, dans
la traduction d'Amyot.

Le 9 septembre, naît Léonor, qui sera la seule survi-
vante des six filles de Montaigne. Le 18 octobre, une
lettre de Charles IX annonce à Montaigne sa nomina-
tion dans l'ordre de Saint-Michel.

Une grande partie du livre I des *Essais* est composée
dans les années 1572-1573 : en mars 1572, par exemple,
Montaigne rédige le chapitre « Que philosopher, c'est
apprendre à mourir ». La même année, début octobre,
à la suite de la Saint-Barthélemy, des protestants sont
massacrés à Bordeaux. Tiré de sa retraite par cette quatrième guerre de Religion, Montaigne est chargé par
l'armée royale du duc de Montpensier d'une mission
auprès du parlement de Bordeaux (1574).

En 1576, il fait frapper une série de médailles portant
sur l'avers ses armoiries, blasonnées « d'azur semé de
trèfles d'or, à une patte de lion de même, armée de
gueules, mise en face », entourées du cordon de l'ordre
de Saint-Michel et, au revers, son emblème, dans une
targe, une balance aux plateaux horizontaux et la devise
pyrrhonienne, « je soutiens », avec la mention de la date
et son âge.

En 1578, il subit ses premières atteintes de coliques néphrétiques, appelées alors « maladie de la pierre » ou « gravelle ». C'est à cette époque que Montaigne compose la plus grande partie du livre II des *Essais*. En 1579, il reçoit le manuscrit des sonnets de La Boétie qui seront publiés dans les *Essais*.

1572   Massacres de la Saint-Barthélemy (quatrième guerre civile, octobre 1572-juillet 1573).

1574   Mort de Charles IX (mai) ; Henri III devient roi ; cinquième guerre civile (1574-1576).

1576   Sixième guerre civile (1576-1577).

1579   Septième guerre civile (novembre 1579-novembre 1580).

4.

Une œuvre inachevée ? (1580-1592)

Printemps 1580 : publication des *Essais* à Bordeaux, chez Simon Millanges. Le livre porte un avis « Au lecteur » daté du 1er mars, lendemain du jour anniversaire de Montaigne. En juillet, il en présente un exemplaire au roi Henri III, alors à Saint-Maur.

Ayant décidé d'« essayer » les eaux les plus réputées pour soulager son corps de la maladie, il poursuit son voyage à travers la France, puis visite la Suisse, l'Allemagne, l'Autriche et, surtout, l'Italie, où il reste jusqu'en novembre 1581. Son exemplaire des *Essais*, saisi avec ses autres livres par la douane, lui est rendu le 20 mars 1581, mais il a fait l'objet d'une censure.

En son absence, il est élu maire de Bordeaux : il s'installe dans ses fonctions le 30 décembre 1581, et sera réélu pour deux ans en 1583.

De son voyage en Italie, Montaigne rapporte un *Journal de voyage* et de quoi enrichir les *Essais*, qui connaissent une nouvelle publication, chez le même éditeur, en 1582. Le texte en a été soigneusement revu ; il tient partiellement compte de la censure romaine ; parfois modifié, il est aussi augmenté de quelques citations, en particulier les premiers extraits en italien de la *Jérusalem délivrée* du Tasse. L'année de sa réélection, Diane d'Andouins, auprès de qui Montaigne joue un rôle important de conseiller, devient la maîtresse d'Henri de Navarre, dont la mort de François d'Alençon, en avril 1584, a fait le prétendant au trône de France. Montaigne se verra confier plusieurs missions de médiation auprès de lui.

Il écrit le troisième livre des *Essais* entre 1586 et 1587, alors que paraît une quatrième édition du texte à Paris, nouvelle émission d'une édition imprimée à Rouen avant mai 1584, aujourd'hui perdue.

En 1588, il se rend à Paris : attaqué et dévalisé sur la route, il est embastillé quelques heures au cours des troubles qui suivent la journée des Barricades. Mais il y fait la connaissance de Marie de Gournay, qu'il considérera comme sa « fille d'alliance ». En juin, les *Essais* connaissent une nouvelle édition chez Abel l'Angelier, augmentée d'un troisième livre et de quelque six cents additions aux deux premiers. L'avis « Au lecteur » est cette fois daté du 12 juin. Montaigne décline les invitations d'Henri IV, qui l'appelle plusieurs fois à son service.

Le 31 mars 1591, vient au monde Françoise de La Tour, petite-fille de Montaigne (née de sa fille Léonor et de François de La Tour, qui se sont mariés le 27 mai 1590).

Montaigne meurt le 13 septembre 1592. Adoptant l'usage de la haute noblesse, sa famille fait déposer son cœur dans l'église Saint-Michel de Montaigne et inhumer son corps séparément, à Bordeaux.

En 1594, Marie de Gournay reçoit de Mme de Montaigne la « copie » (un exemplaire de l'édition de 1588 portant corrections et annotations) destinée à la nouvelle édition des *Essais*. Fin 1595, Marie de Gournay commence un long séjour au château de Montaigne. Elle corrige l'édition posthume des *Essais* en la vérifiant sur l'« autre copie », différente de l'exemplaire dit « de Bordeaux ». Le texte, à nouveau publié chez Abel l'Angelier, est augmenté d'un tiers par rapport à l'édition de 1588 ; il est précédé d'une longue préface apologétique.

Les *Essais* connaîtront cinq éditions posthumes chez le même éditeur, cependant que les contrefaçons se multiplient. En 1676, ils seront mis à l'Index, condamnés pour leur obscénité !

1584	Naissance de la Ligue ou « Sainte Union » des catholiques.
1585	Débuts de la huitième guerre civile. Mort de Ronsard.
1586	Établissement de la Congrégation et de l'Index.
1588	Barricades parisiennes ; assassinat du duc de Guise à la demande d'Henri III.
1589	Mort de Catherine de Médicis ; assassinat d'Henri III (1er août) ; Henri de Navarre devient Henri IV.
1593	États généraux de la Ligue et abjuration d'Henri IV.
1598	Édit de Nantes ; paix de Vervins.
1610	Assassinat d'Henri IV et début de la régence de Marie de Médicis.

Éléments pour une
fiche de lecture

Regarder le tableau

- Observez attentivement le détail de la couverture.
  De quel type d'objet est-il extrait ? À quoi le devinez-
  vous ?
- Regardez les personnages représentés. Vous sem-
  blent-ils humains ? Quels détails l'attestent ? Quels
  détails en font douter ? Et leurs aliments ? Quelles
  parties du corps l'artiste a-t-il choisi de représenter ?
  Pour quelles raisons, d'après vous ?
- Attardez-vous sur chacune des scènes. Vous sem-
  blent-elles liées ? Comment ? À quelle forme artis-
  tique cela vous fait-il penser ?
- Le style pictural vous paraît-il réaliste ? Pourquoi ?
  Comment auriez-vous représenté une telle scène :
  en peinture, puis au théâtre ? Expliquez les difficultés spécifiques que vous auriez rencontrées dans
  chacun des cas.

Autour des « Cannibales »

- Essayez de dégager la structure de ce chapitre. Comment le lien s'établit-il entre le titre et le contenu du
  chapitre ?

- On a souvent dit que Montaigne amorçait dans « Des cannibales » l'éloge de la nature et le « mythe du bon sauvage » chers au XVIIIᵉ siècle : comment la nature est-elle perçue ? Les Indiens sont-ils vraiment présentés comme de « bons sauvages » ? Quelles sont leurs caractéristiques ?
- Comment la conquête est-elle présentée ? Vous comparerez les propos tenus dans « Des cannibales » et dans « Des coches » à propos de la conquête, puis à propos des Indiens.
- Usages de l'ironie : selon vous, ce texte a-t-il une dimension polémique ? y discernez-vous des moments ironiques ? comment interprétez-vous la question finale ?
- Quelle est l'origine du mot « cannibale », du mot « anthropophage » ?
- Relevez, dans « Des cannibales » et dans les textes de l'anthologie, les occurrences du mot « barbare » : vous vous demanderez à chaque fois qui il désigne. De même, vous relèverez et interrogerez, dans des textes d'actualité (presse écrite, télévision…), les usages du mot et de ses dérivés.

Autour de l'anthologie

- La majorité des textes retenus sont des essais : comment expliquez-vous ce phénomène ? L'interprétation du propos romanesque, théâtral ou poétique est-elle aussi univoque que celle de l'essai ?
- Réalisez votre propre anthologie sur le thème de l'autre (par exemple à partir de la science-fiction).
- Comparez la version originale de *La Tempête* de Shakespeare et l'adaptation qu'en propose Aimé

Césaire ; comparez les textes de Chateaubriand et de Flaubert (position du locuteur, genre, registre).

- Cyrano de Bergerac joue avec les autorités antiques : sous quelle forme les propos d'Aristote apparaissent-ils dans son texte ? Comment Voltaire utilise-t-il les textes qu'il cite (références, citations directes ou non, exactes ou non, manières de les introduire, etc.) ?

- Vous étudierez comment l'*incipit* de *Rouge Brésil* de Rufin parvient à articuler références historiques et mise en place d'une intrigue romanesque.

- Comment réagissez-vous à la « modeste proposition » de Swift ? aux raisons alléguées pour justifier l'esclavage des nègres dans le texte de Montesquieu ?

- Dans les textes plus documentaires (Hérodote, Marco Polo, Joinville, Léry, etc.), quelle est la position de l'observateur ? Comment se situe-t-il à l'égard de ce qu'il décrit ?

Sujet de réflexion

- « Chacun appelle barbarie, ce qui n'est pas de son usage » : vous réfléchirez à cette affirmation en vous aidant des textes ici réunis.

- D'après Stefan Zweig, « Érasme et ses disciples pensent que seuls le livre et la culture peuvent développer les sentiments humains de l'homme, car il n'y a que l'individu inculte, l'ignorant, qui s'abandonne sans réfléchir à ses passions. L'homme cultivé, le civilisé — c'est là la tragique erreur de leur raisonnement — est incapable de recourir à la violence, et si les érudits, les gens instruits avaient le dessus, chaos et bestialité disparaîtraient d'eux-mêmes, les guerres et les persécutions spirituelles deviendraient des anachronismes». Vous vérifierez la validité de ce propos en vous appuyant sur les textes ici réunis.

Collège

Combats du 20ᵉ siècle en poésie (anthologie) (161)
Fabliaux (textes choisis) (37)
Gilgamesh et Hercule (217)
La Bible (textes choisis) (49)
La Farce de Maître Pathelin (146)
La poésie sous toutes ses formes (anthologie) (253)
Le Livre d'Esther (249)
Les Quatre Fils Aymon (208)
Les récits de voyage (anthologie) (144)
Mère et fille (Correspondances de Mme de Sévigné, George Sand, Sido et Colette) (anthologie) (112)
Poèmes à apprendre par cœur (anthologie) (191)
Poèmes pour émouvoir (anthologie) (225)
Schéhérazade et Aladin (192)
ALAIN-FOURNIER, *Le grand Meaulnes* (174)
Jean ANOUILH, *Le Bal des voleurs* (113)
Jean ANOUILH, *Le Voyageur sans bagage* (269)
Marcel AYMÉ, *Les contes du chat perché* (6 contes choisis) (268)
Marcel AYMÉ, Ray BRADBURY, Dino BUZZATI, *3 nouvelles sur le temps* (240)
Honoré de BALZAC, *L'Élixir de longue vie* (153)
Henri BARBUSSE, *Le Feu* (91)
Joseph BÉDIER, *Le Roman de Tristan et Iseut* (178)
Henri BOSCO, *L'Enfant et la Rivière* (272)
John BOYNE, *Le Garçon en pyjama rayé* (279)
Lewis CARROLL, *Les Aventures d'Alice au pays des merveilles* (162)
Blaise CENDRARS, *Faire un prisonnier* (235)

Lycée

Série Classiques

Pour plus d'informations,
consultez le catalogue à l'adresse suivante :
http ://www.gallimard.fr

Composition Bussière
Impression Novoprint
à Barcelone, le 25 juin 2015
Dépôt légal : juin 2015
Premier dépôt légal : octobre 2008

ISBN 978-2-07-035820-5./Imprimé en Espagne.

290511